TABLE DES MATIÈRES

D0888406

ÍNDICE

PROOF OF PURCHASE & PRODUCT REGISTRATION

Always keep a copy of the sales receipt showing the date of purchase of your Stand Mixer. Proof of purchase will assure you of in warranty service.

Before you use your Stand Mixer, please fill out and mail your product registration card packed with the unit.

This card will enable us to contact you in the unlikely event of a product safety notification and assist us in complying with the provisions of the Consumer Product Safety Act. This card does not verify your warranty.

Please complete the following for your personal records:

Model Number _____

Serial Number _____

Date Purchased _____

Store Name _____

ENGLISH

Your safety and the safety of others are very important.

We have provided many important safety messages in this manual and on your appliance. Always read and obey all safety messages.

This is the safety alert symbol.

This symbol alerts you to potential hazards that can kill or hurt you and others.

All safety messages will follow the safety alert symbol and either the word "DANGER" or "WARNING." These words mean:

⚠DANGER

You can be killed or seriously injured if you don't <u>immediately</u> follow instructions.

⚠WARNING

You can be killed or seriously injured if you don't follow instructions.

All safety messages will tell you what the potential hazard is, tell you how to reduce the chance of injury, and tell you what can happen if the instructions are not followed.

IMPORTANT SAFEGUARDS

When using electrical appliances, basic safety precautions should always be followed including the following:

1. Read all instructions.

2. To protect against risk of electrical shock, do not put Stand Mixer in water or other liquid.

3. Close supervision is necessary when any appliance is used by or near children.

4. Unplug Stand Mixer from outlet when not in use, before putting on or taking off parts and before cleaning.

5. Avoid contacting moving parts. Keep hands, hair, clothing, as well as spatulas and other utensils away from beater during operation to reduce the risk of injury to persons and/or damage to the Stand Mixer.

6. Do not operate Stand Mixer with a damaged cord or plug or after the Stand Mixer malfunctions, or is dropped or damaged in any manner. Return appliance to the nearest Authorized Service Center for examination, repair or electrical or mechanical adjustment. Call the KitchenAid Customer Satisfaction Center at 1-800-541-6390 for more information.

7. The use of attachments not recommended or sold by KitchenAid may cause fire, electrical shock or injury.

8. Do not use the Stand Mixer outdoors.

9. Do not let the cord hang over edge of table or counter.

10. Remove flat beater, wire whip or dough hook from Stand Mixer before washing.

11. This product is designed for household use only.

SAVE THESE INSTRUCTIONS

ELECTRICAL REQUIREMENTS

Volts: 120 A.C. only. Hertz: 60 The wattage rating for your Stand Mixer is printed on a tag under the mixer base. It is also listed on the trim band.

If the power cord is too short, have a qualified electrician or serviceman install an outlet near the appliance.

⚠WARNING

Electrical Shock Hazard

Plug into a grounded 3 prong outlet.

Do not remove ground prong.

Do not use an adapter.

Do not use an extension cord.

Failure to follow these instructions can result in death, fire, or electrical shock.

KITCHENAID® STAND MIXER WARRANTY

Length of Warranty:	KitchenAid Will Pay For:	KitchenAid Will Not Pay For:
50 United States, the District of Columbia, Canada, and Puerto Rico: One-year limited warranty from date of purchase.	**50 United States, the District of Columbia and Canada:** Hassle-free replacement of your Stand Mixer. See the following page for details on how to arrange for replacement. OR **In Puerto Rico:** The replacement parts and repair labor costs to correct defects in materials and workmanship. Service must be provided by an Authorized KitchenAid Service Center. To arrange for service, follow the instructions on page 8.	A. Repairs when Stand Mixer is used in other than normal single family home use. B. Damage resulting from accident, alteration, misuse or abuse or use with products not approved by KitchenAid. C. Replacement parts or repair labor costs for Stand Mixer when operated outside the country of purchase.

DISCLAIMER OF IMPLIED WARRANTIES; LIMITATION OF REMEDIES
IMPLIED WARRANTIES, INCLUDING TO THE EXTENT APPLICABLE
WARRANTIES OF MERCHANTABILITY OR FITNESS FOR A PARTICULAR
PURPOSE, ARE EXCLUDED TO THE EXTENT LEGALLY PERMISSIBLE. ANY
IMPLIED WARRANTIES THAT MAY BE IMPOSED BY LAW ARE LIMITED TO
ONE YEAR, OR THE SHORTEST PERIOD ALLOWED BY LAW. SOME STATES
AND PROVINCES DO NOT ALLOW LIMITATIONS OR EXCLUSIONS ON
HOW LONG AN IMPLIED WARRANTY OF MERCHANTABILITY OR FITNESS
LASTS, SO THE ABOVE LIMITATIONS OR EXCLUSIONS MAY NOT APPLY TO
YOU.

IF THIS PRODUCT FAILS TO WORK AS WARRANTED, CUSTOMER'S
SOLE AND EXCLUSIVE REMEDY SHALL BE REPAIR OR REPLACEMENT
ACCORDING TO THE TERMS OF THIS LIMITED WARRANTY. KITCHENAID
AND KITCHENAID CANADA DO NOT ASSUME ANY RESPONSIBILITY FOR
INCIDENTAL OR CONSEQUENTIAL DAMAGES. This warranty gives you
specific legal rights and you may also have other rights which vary from
state to state or province to province.

HASSLE-FREE REPLACEMENT WARRANTY – 50 UNITED STATES AND DISTRICT OF COLUMBIA

We're so confident the quality of our products meets the exacting standards of KitchenAid that, if your Stand Mixer should fail within the first year of ownership, KitchenAid will arrange to deliver an identical or comparable replacement to your door free of charge and arrange to have your original Stand Mixer returned to us. Your replacement unit will also be covered by our one year limited warranty. Please follow these instructions to receive this quality service.

If your KitchenAid® Stand Mixer should fail within the first year of ownership, simply call our toll-free Customer Satisfaction Center at 1-800-541-6390 Monday through Friday, 8 a.m. to 8 p.m. (Eastern Time), or Saturday, 10 a.m. to 5 p.m. Give the consultant your complete shipping address. (No P.O. Box numbers, please.)

When you receive your replacement Stand Mixer, use the carton and packing materials to pack up your original Stand Mixer. In the carton, include your name and address on a sheet of paper along with a copy of the proof of purchase (register receipt, credit card slip, etc.).

HASSLE-FREE REPLACEMENT WARRANTY – CANADA

We're so confident the quality of our products meets the exacting standards of the KitchenAid® brand that, if your Stand Mixer should fail within the first year of ownership, KitchenAid Canada will replace your Stand Mixer with an identical or comparable replacement. Your replacement unit will also be covered by our one year limited warranty. Please follow these instructions to receive this quality service.

If your KitchenAid® Stand Mixer should fail within the first year of ownership, take the Stand Mixer or ship collect to an Authorized KitchenAid Service Centre. In the carton include your name and complete shipping address along with a copy of the proof of purchase (register receipt, credit card slip, etc.). Your replacement Stand Mixer will be returned prepaid and insured. If you are unable to obtain satisfactory service in this manner call our toll-free Customer Interaction Centre at 1-800-807-6777.
Or write to us at:

Customer Interaction Centre
KitchenAid Canada
1901 Minnesota Court
Mississauga, ON L5N 3A7

HOW TO ARRANGE FOR WARRANTY SERVICE IN PUERTO RICO

Your KitchenAid® Stand Mixer is covered by a one-year limited warranty from the date of purchase. KitchenAid will pay for replacement parts and labor costs to correct defects in materials and workmanship. Service must be provided by an Authorized KitchenAid Service Center.

Take the Stand Mixer or ship prepaid and insured to an Authorized KitchenAid Service Center. Your repaired Stand Mixer will be returned prepaid and insured. If you are unable to obtain satisfactory service in this manner, call toll-free 1-800-541-6390 to learn the location of a Service Center near you.

HOW TO ARRANGE FOR SERVICE AFTER THE WARRANTY EXPIRES – ALL LOCATIONS

Before calling for service, please review the Troubleshooting section on page 9.

For service information in the 50 United States, District of Columbia, and Puerto Rico, call toll-free 1-800-541-6390.

Or write to:
Customer Satisfaction Center
KitchenAid Portable Appliances
P.O. Box 218
St. Joseph, MI 49085-0218

Or contact an Authorized Service Center near you.

For service information in Canada, call toll-free 1-800-807-6777.

Or write to:
Customer Interaction Centre
KitchenAid Canada
1901 Minnesota Court
Mississauga, ON L5N 3A7

HOW TO ARRANGE FOR SERVICE OUTSIDE THESE LOCATIONS

Consult your local KitchenAid dealer or the store where you purchased the Stand Mixer for information on how to obtain service.

For service information in Mexico, call toll-free
01-800-024-17-17
(JV Distribuciones)

Or

01-800-902-31-00
(Industrias Birtman)

To order accessories or replacement parts for your Stand Mixer in the 50 United States, District of Columbia, and Puerto Rico,
call toll-free 1-800-541-6390
Monday through Friday, 8 a.m. to 8 p.m. (Eastern Time), or Saturday, 10 a.m. to 5 p.m.

Or write to:
Customer Satisfaction Center,
KitchenAid Portable Appliances,
P.O. Box 218,
St. Joseph, MI 49085-0218

To order accessories or replacement parts for your Stand Mixer in Canada,
call toll-free 1-800-807-6777.

Or write to:
Customer Interaction Centre
KitchenAid Canada
1901 Minnesota Court
Mississauga, ON L5N 3A7

To order accessories or replacement parts for your Stand Mixer in Mexico,
call toll-free
01-800-024-17-17
(JV Distribuciones)
Or
01-800-902-31-00
(Industrias Birtman)

ENGLISH

TROUBLESHOOTING PROBLEMS

Please read the following before calling your service center.

1. The Stand Mixer may warm up during use. Under heavy loads with extended mixing time periods, you may not be able to comfortably touch the top of the unit. This is normal.
2. The Stand Mixer may emit a pungent odor, especially when new. This is common with electric motors.
3. If the flat beater hits the bowl, stop the Stand Mixer. See "Beater to Bowl Clearance," page 14.

Keep a copy of the sales receipt showing the date of purchase. Proof of purchase will assure you of in-warranty service.

If your Stand Mixer should malfunction or fail to operate, please check the following:

– Is the Stand Mixer plugged in?
– Is the fuse in the circuit to the Stand Mixer in working order? If you have a circuit breaker box, be sure the circuit is closed.
– Turn the Stand Mixer off for 10-15 seconds, then turn it back on. If the mixer still does not start, allow it to cool for 30 minutes before turning it back on.

If the problem cannot be fixed with the steps provided in this section, then contact KitchenAid or an Authorized Service Center:

USA/Puerto Rico: 1-800-541-6390
Canada: 1-800-807-6777
Mexico: 01-800-024-17-17
(JV Distribuciones)
or
01-800-902-31-00
(Industrias Birtman)

See the KitchenAid Warranty and Service section on page 6 for additional details. Do not return the Blender to the retailer – they do not provide service.

ENGLISH

Motor Head

Attachment Hub

Speed
Control
Knob

Attachment Knob

Motor Head
Locking Lever
(not shown)

Beater Shaft

Flat Beater

Beater Height
Adjustment
Screw

Wire Whip

Dough Hook

Bowl Clamping Plate

4½ or 5 Quart
(4.26 or 4.73 L)
Stainless Steel
Bowl

NOTE: This photo shows the Artisan® Series Stand Mixer. The features on your mixer model may differ slightly.

⚠ WARNING

Electrical Shock Hazard

Plug into a grounded 3 prong outlet.

Do not remove ground prong.

Do not use an adapter.

Do not use an extension cord.

Failure to follow these instructions can result in death, fire, or electrical shock.

Off   On

ENGLISH

To Attach Bowl

1. Turn speed control to OFF.
2. Unplug stand mixer or disconnect power.
3. Tilt motor head back.
4. Place bowl on bowl clamping plate.
5. Turn bowl gently into clockwise direction.
6. Plug into a grounded 3 prong outlet.

To Remove Bowl

1. Turn speed control to OFF.
2. Unplug stand mixer or disconnect power.
3. Tilt motor head back.
4. Turn bowl counterclockwise.

To Attach Flat Beater, Wire Whip, or Dough Hook

1. Turn speed control to OFF.
2. Unplug stand mixer or disconnect power.
3. Tilt motor head back.
4. Slip beater onto beater shaft and press upward as far as possible.
5. Turn beater to right, hooking beater over pin on shaft.
6. Plug into a grounded 3 prong outlet.

Pin

To Remove Flat Beater, Wire Whip or Dough Hook

1. Turn speed control to OFF.
2. Unplug stand mixer or disconnect power.
3. Tilt motor head back.
4. Press beater upward as far as possible and turn left.
5. Pull beater from beater shaft.

To Operate Speed Control

Speed control lever should always be set on lowest speed for starting, then gradually moved to desired higher speed to avoid splashing ingredients out of bowl. See page 15 for Speed Control Guide.

Speed Control

To Lock Motor Head

1. Make sure motor head is completely down.
2. Place locking lever in LOCK position.
3. Before mixing, test lock by attempting to raise head.

Lock   Unlock

To Unlock Motor Head

1. Place lever in UNLOCK position.

NOTE: Motor head should always be kept in LOCK position when using mixer.

USING YOUR POURING SHIELD*

To Attach Pouring Shield

1. Turn speed control to OFF.
2. Unplug stand mixer or disconnect power.
3. Attach flat beater, dough hook, or wire whip and bowl (see page 11).
4. From the front of the mixer, slide the pouring shield over the bowl until the shield is centered. The bottom rim of the shield should fit within the bowl.

To Remove Pouring Shield

1. Turn speed control to OFF.
2. Unplug stand mixer or disconnect power.
3. Lift the front of the pour shield clear of the bowl rim and pull forward.
4. Remove attachment and bowl.

Pouring Chute

To Use Pouring Shield

1. For best results, rotate the shield so the motor head covers the "u" shaped gap in the shield. The pouring chute will be just to the right of the attachment hub as you face the mixer.
2. Pour the ingredients into the bowl through the pouring chute.

* If Pouring Shield is included.

Flat Beater for normal to heavy mixtures:

cakes
creamed frostings
candies
cookies
pie pastry

biscuits
quick breads
meat loaf
mashed potatoes

ENGLISH

Wire Whip for mixtures that need air incorporated:

eggs
egg whites
heavy cream
boiled frostings

sponge cakes
angel food cakes
mayonnaise
some candies

Dough Hook for mixing and kneading yeast doughs:

breads
rolls

coffee cakes
buns

MIXING TIME

Your KitchenAid® Stand Mixer will mix faster and more thoroughly than most other electric Stand Mixers. Therefore, the mixing time in most traditional and non-packaged recipes must be adjusted to avoid overbeating. With cakes, for example, beating time may be half as long as with other Stand Mixers.

TILT-HEAD STAND MIXER USE

NOTE: Do not scrape the bowl while the Stand Mixer is operating.

The bowl and beater are designed to provide thorough mixing without frequent scraping. Scraping the bowl once or twice during mixing is usually sufficient. Turn the unit off before scraping.

The Stand Mixer may warm up during use. Under heavy load with extended mixing time, you may not be able to comfortably touch the top of the unit. This is normal.

CARE AND CLEANING

Bowl, white flat beater and white dough hook may be washed in an automatic dishwasher. Or, clean them thoroughly in hot sudsy water and rinse completely before drying. Wire whip should be hand washed and dried immediately. Do not wash the wire whip in a dishwasher. Do not store the beaters on the shaft.

NOTE: Always be sure to unplug the Stand Mixer before cleaning. Wipe the Stand Mixer with a soft, damp cloth. Do not use household or commercial cleaners. Do not immerse in water. Wipe off the beater shaft frequently, removing any residue that may accumulate.

BEATER TO BOWL CLEARANCE

Your Stand Mixer is adjusted at the factory so the flat beater just clears the bottom of the bowl. If, for any reason, the flat beater hits the bottom of the bowl or is too far away from the bowl, you can correct the clearance easily.

1. Turn speed control to OFF.
2. Unplug stand mixer or disconnect power.
3. Tilt motor head back.
4. Turn screw (A) SLIGHTLY counter clockwise (left) to raise the flat beater or clockwise (right) to lower the flat beater.
5. Make adjustment so that the flat beater just clears the surface of the bowl. If you over adjust the screw, you may not be able to lock the motor head when it is lowered.

A

NOTE: When properly adjusted, the flat beater will not strike the bottom or side of the bowl. If the flat beater or the wire whip is adjusted so that it strikes the bowl, the coating may wear off the beater, or the wires on the whip may wear.

SPEED CONTROL GUIDE

Number of Speed

Stir Speed	STIR	For slow stirring, combining, mashing, starting all mixing procedures. Use to add flour and dry ingredients to batter, add liquids to dry ingredients, and combine heavy mixtures. Use with Ice Cream Maker attachment.
2	SLOW MIXING	For slow mixing, mashing, faster stirring. Use to mix heavy batters and candies, start mashing potatoes or other vegetables, cut shortening into flour, mix thin or splashy batters, and mix and knead yeast dough. Use with Can Opener attachment.
4	MIXING, BEATING	For mixing semi-heavy batters, such as cookies. Use to combine sugar and shortening and to add sugar to egg whites for meringues. Medium speed for cake mixes. Use with: Food Grinder, Rotor Slicer/Shredder, and Fruit/Vegetable Strainer.
6	BEATING, CREAMING	For medium fast beating (creaming) or whipping. Use to finish mixing cake, doughnut, and other batters. High speed for cake mixes. Use with Citrus Juicer attachment.
8	FAST BEATING, WHIPPING	For whipping cream, egg whites, and boiled frostings.
10	FAST WHIPPING	For whipping small amounts of cream or egg whites. Use with Pasta Maker and Grain Mill attachments.

NOTE: Mixer may not maintain fast speeds under heavy load, such as when the Pasta Maker or Grain Mill attachments are used. This is normal.

NOTE: The Speed Control Lever can be set between the speeds listed in the above chart to obtain speeds 3, 5, 7, and 9 if a finer adjustment is required.

Do not exceed Speed 2 when preparing yeast dough. This may damage the mixer.

Converting Your Recipe for the Mixer

The mixing instructions for recipes in this book can guide you in converting your own favorite recipes for preparation with your KitchenAid® Stand Mixer. Look for recipes similar to yours and then adapt your recipes to use the procedures in the similar KitchenAid recipes.

For example, the "quick mix" method (sometimes referred to as the "dump" method) is ideal for simple cakes, such as the Quick Yellow Cake and Easy White Cake included in this book. This method calls for combining dry ingredients with most or all liquid ingredients in one step.

More elaborate cakes, such as tortes, should be prepared using the traditional cake mixing method. With this method, sugar and the shortening, butter, or margarine are thoroughly mixed (creamed) before other ingredients are added.

For all cakes, mixing times may change because your KitchenAid® Stand Mixer works more quickly than other mixers. In general, mixing a cake with the KitchenAid® Stand Mixer will take about half the time called for in most traditional and non-packaged cake recipes.

To help determine the ideal mixing time, observe the batter or dough and mix only until it has the desired appearance described in your recipe, such as "smooth and creamy."

To select the best mixing speeds, use the Speed Control Guide on page 15.

Adding Ingredients

Always add ingredients as close to side of bowl as possible, not directly into the moving beater. The Pouring Shield can be used to simplify adding ingredients.

NOTE: If ingredients in very bottom of bowl are not thoroughly mixed, then the beater is not far enough into the bowl. See "Beater to Bowl Clearance" on page 14.

Cake Mixes

When preparing packaged cake mixes, use Speed 2 for low speed, Speed 4 for medium speed, and Speed 6 for high speed. For best results, mix for the time stated on the package directions.

Adding Nuts, Raisins, or Candied Fruits

Follow individual recipes for guidelines on including these ingredients. In general, solid materials should be folded in the last few seconds of mixing on Stir Speed. The batter should be thick enough to prevent the fruit or nuts from sinking to the bottom of the pan during baking. Sticky fruits should be dusted with flour for better distribution in the batter.

Liquid Mixtures

Mixtures containing large amounts of liquid ingredients should be mixed at lower speeds to avoid splashing. Increase mixer speed only after the mixture has thickened.

EGG WHITES

Place room temperature egg whites in a clean, dry bowl. Attach bowl and wire whip. To avoid splashing, gradually turn to designated speed and whip to the desired stage. See chart below.

AMOUNT	SPEED
1 egg white ...	GRADUALLY to 10
2+ egg whites ...	GRADUALLY to 8

Whipping Stages

With your KitchenAid® mixer, egg whites whip quickly. So, watch carefully to avoid overwhipping. This list tells you what to expect.

Frothy
Large, uneven air bubbles.

Begins to Hold Shape
Air bubbles are fine and compact; product is white.

Soft Peak
Tips of peaks fall over when wire whip is removed.

Almost Stiff
Sharp peaks form when wire whip is removed, but whites are actually soft.

Stiff But Not Dry
Sharp, stiff peaks form when wire whip is removed. Whites are uniform in color and glisten.

Stiff and Dry
Sharp, stiff peaks form when wire whip is removed. Whites are speckled and dull in appearance.

WHIPPED CREAM

Pour cold whipping cream into a chilled bowl. Attach bowl and wire whip. To avoid splashing, gradually turn to designated speed and whip to the desired stage. See chart below.

AMOUNT	SPEED
¼ - ¾ cup.......... (60 ml - 175 ml)	GRADUALLY to 10
1+ cup .... (235 ml +)	GRADUALLY to 8

Whipping Stages

Watch the cream closely during whipping. Because your KitchenAid® mixer whips so quickly, there are just a few seconds between whipping stages. Look for these characteristics:

Begins to Thicken
Cream is thick and custard-like.

Holds Its Shape
Cream forms soft peaks when wire whip is removed. Can be folded into other ingredients when making desserts and sauces.

Stiff
Cream stands in stiff, sharp peaks when wire whip is removed. Use for topping on cakes or desserts, or filling for cream puffs.

General Information

KitchenAid® attachments are designed to assure long life. The attachment power shaft and hub socket are of a square design, to eliminate any possibility of slipping during the transmission of power to the attachment. The hub and shaft housing are tapered to assure a snug fit, even after prolonged use and wear. KitchenAid® attachments require no extra power unit to operate them; the power unit is built in.

Attachment
Knob

Attachment
Power Shaft‡

Hub

Attachment
Hub Socket

Notch   Pin‡

Attachment
Shaft Housing‡

‡Not part of mixer.

GENERAL INSTRUCTIONS

To Attach

1. Turn the speed control to OFF.
2. Unplug mixer or disconnect power.
3. Loosen the attachment knob by turning it counterclockwise, and remove the attachment hub cover or flip up hinged hub cover.
4. Insert the attachment shaft housing into the attachment hub, making certain the attachment power shaft fits into the square attachment hub socket. It may be necessary to rotate the attachment back and forth. When the attachment is in proper position, the pin on the attachment will fit into the notch on the hub rim.
5. Tighten the attachment knob by turning it clockwise until the attachment is completely secured to mixer.

Electrical Shock Hazard

Plug into a grounded 3 prong outlet.

Do not remove ground prong.

Do not use an adapter.

Do not use an extension cord.

Failure to follow these instructions can result in death, fire, or electrical shock.

6. Plug into a grounded 3 prong outlet.

To Remove

1. Turn the speed control to OFF.
2. Unplug mixer or disconnect power.
3. Loosen the attachment knob by turning it counterclockwise. Rotate the attachment slightly back and forth while pulling it out.
4. Replace the attachment hub cover. Tighten attachment knob by turning it clockwise.

PREUVE D'ACHAT ET ENREGISTREMENT DU PRODUIT

Veuillez conserver une copie du coupon de caisse indiquant la date d'achat de votre batteur sur socle. La preuve d'achat vous assure du service d'après-vente sous garantie.

Avant d'utiliser votre batteur sur socle, veuillez remplir et poster la carte d'enregistrement du produit accompagnant l'appareil.

Grâce à cette carte, nous pourrons vous appeler dans l'éventualité improbable d'un avis de sécurité et nous conformer plus facilement aux dispositions de la loi sur la sécurité des produits de consommation. Cette carte ne confirme pas votre garantie.

Veuillez remplir ce qui suit pour vos dossiers personnels :

Numéro de modèle _____

Numéro de série _____

Date d'achat _____

Nom du marchand et adresse _____

Votre sécurité et celle des autres est très importante.

Nous donnons de nombreux messages de sécurité importants dans ce manuel et sur votre appareil ménager. Assurez-vous de toujours lire tous les messages de sécurité et de vous y conformer.

Voici le symbole d'alerte de sécurité.

Ce symbole d'alerte de sécurité vous signale les dangers potentiels de décès et de blessures graves à vous et à d'autres.

Tous les messages de sécurité suivront le symbole d'alerte de sécurité et le mot "DANGER" ou "AVERTISSEMENT". Ces mots signifient :

⚠ DANGER

Risque possible de décès ou de blessure grave si vousne suivez pas <u>immédiatement</u> les instructions.

⚠ AVERTISSEMENT

Risque possible de décès ou de blessure grave si vous ne suivez pas les instructions.

Tous les messages de sécurité vous diront quel est le danger potentiel et vous disent comment réduire le risque de blessure et ce qui peut se produire en cas de non-respect des instructions.

CONSIGNES DE SÉCURITÉ IMPORTANTES

Lors de l'utilisation d'appareils électriques, des précautions élémentaires de sécurité devraient toujours être observées, incluant les suivantes :

1. Lisez toutes les instructions.
2. Pour éviter tout risque d'électrocution, ne mettez pas le batteur sur socle dans l'eau ni dans tout autre liquide.
3. Il est indispensable d'exercer une surveillance étroite lors de l'emploi à proximité d'enfants de cet appareil ou de tout autre appareil électroménager.
4. Débranchez le batteur sur socle lorsque vous ne l'utilisez pas, avant d'y ajouter des pièces ou d'en enlever et avant de le nettoyer.

5. Évitez tout contact avec les pièces en mouvement. Tenez les mains, cheveux, vêtements ainsi que les spatules et autres ustensiles à l'écart du batteur lorsqu'il fonctionne afin de réduire le risque de blessures ou de détériorations du batteur.

6. N'utilisez pas le batteur sur socle si le cordon ou la fiche sont endommagés, s'ils présentent un défaut de fonctionnement, s'ils sont tombés ou s'ils ont été endommagés de quelque manière que ce soit. Retournez l'appareil au centre de réparation autorisé le plus proche pour le faire inspecter ou réparer, ou pour effectuer un réglage électrique ou mécanique. Pour de plus amples renseignements, téléphonez au Centre de satisfaction de la clientèle de KitchenAid, au numéro 1 800 541 6390.

7. L'utilisation d'accessoires non recommandés ou non vendus par KitchenAid peut causer un incendie, une électrocution ou des blessures.

8. N'utilisez pas le batteur sur socle à l'extérieur.

9. Ne laissez pas le cordon prendre du bord de la table ou du comptoir.

10. Enlevez le fouet plat, le fouet fin ou le crochet pétrisseur avant de laver le batteur sur socle.

11. Ce produit est conçu pour un usage domestique seulement.

CONSERVEZ CES INSTRUCTIONS
CONTRAINTES ÉLECTRIQUES

Tension : 120 volts c.a. seulement.
Fréquence : 60 Hz

La puissance nominale du batteur sur socle est imprimée sur une étiquette se trouvant sous le socle. Elle apparaît également sur la bande de garnissage.

Si le cordon fourni est trop court, demandez à un électricien ou à un technicien compétent d'installer une prise de courant près de l'appareil.

⚠AVERTISSEMENT

Risque de choc électrique

Brancher sur une prise à 3 alvéoles reliée à la terre.

Ne pas enlever la broche de liaison à la terre.

Ne pas utiliser un adaptateur.

Ne pas utiliser un câble de rallonge.

Le non-respect de ces instructions peut causer un décès, un incendie ou un choc électrique.

GARANTIE DU BATTEUR SUR SOCLE KITCHENAID®

Durée de la garantie :	KitchenAid prendra en charge :	KitchenAid ne prendra pas en charge :
50 États des États-Unis, le district fédéral de Columbia, le Canada et Puerto Rico : Garantie limitée d'un an à compter de la date d'achat.	**50 États des États-Unis, district fédéral de Columbia et Canada :** Garantie de remplacement d'un an sans difficulté de votre batteur sur socle. Consultez la page suivante pour obtenir des détails sur la façon de remplacer le batteur sur socle. OU **À Puerto Rico :** Les coûts des pièces de rechange et de main-d'œuvre pour corriger les défauts de matériaux et de main-d'œuvre. Le service après-vente doit être assuré par un centre de réparation autorisé KitchenAid. Pour obtenir une réparation, suivez les directives de la page 25.	A. Les réparations découlant de l'utilisation du batteur sur socle dans un contexte autre qu'un foyer unifamilial normal. B. Les dommages attribuables aux causes suivantes : un accident, une modification, la mauvaise utilisation, un emploi abusif ou une utilisation non approuvée par KitchenAid. C. Les coûts des pièces de rechange ou de main-d'oeuvre pour le batteur sur socle si ce dernier est utilisé à l'extérieur du pays d'achat.

FRANÇAIS

DÉSAVEU DE GARANTIE TACITE, LIMITATION DES RECOURS LES GARANTIES TACITES, Y COMPRIS DANS LA MESURE APPLICABLE LES GARANTIES DE QUALITÉ MARCHANDE OU D'APTITUDE À UN EMPLOI PARTICULIER, SONT EXCLUES DANS LA MESURE AUTORISÉE PAR LA LOI. TOUTE GARANTIE TACITE IMPOSÉE PAR LA LOI EST LIMITÉE À UN AN, OU LA DURÉE MINIMUM PERMISE PAR LA LOI. PUISQUE CERTAINES JURIDICTIONS NE PERMETTENT PAS L'EXCLUSION OU LA LIMITATION DE DURÉE DES GARANTIES IMPLICITES DE QUALITÉ MARCHANDE OU D'APTITUDE À UN EMPLOI PARTICULIER, LES LIMITATIONS CI-DESSUS PEUVENT DONC NE PAS S'APPLIQUER À VOUS.

SI CET APPAREIL NE FONCTIONNE PAS COMME GARANTI, LE SEUL ET EXCLUSIF RECOURS DES CLIENTS EST LA RÉPARATION OU LE REMPLACEMENT SELON LES DISPOSITIONS DE LA GARANTIE LIMITÉE. KITCHENAID ET KITCHENAID-CANADA N'ASSUMENT AUCUNE RESPONSABILITÉ EN CAS DE DOMMAGES ACCESSOIRES OU INDIRECTS. Cette garantie vous confère des droits spécifiques auxquels peuvent s'ajouter d'autres droits variant d'un État ou d'une province à l'autre.

GARANTIE DE SATISFACTION TOTALE ET DE REMPLACEMENT - 50 ÉTATS DES ÉTATS-UNIS, DISTRICT FÉDÉRAL DE COLUMBIA

Nous sommes tellement certains que la qualité de nos produits satisfait aux normes exigeantes de KitchenAid que, si le batteur sur socle cesse de fonctionner au cours de la première année, KitchenAid livrera gratuitement un appareil identique ou comparable à votre porte et s'occupera de récupérer le batteur sur socle original. L'appareil de rechange sera aussi couvert par notre garantie limitée d'un an. Veuillez suivre ces instructions pour recevoir ce service de qualité.

Si le batteur sur socle KitchenAid® cesse de fonctionner au cours de la première année, il suffit d'appeler le numéro sans frais 1 800 541 6390 du Centre de satisfaction de la clientèle du lundi au vendredi de 8 h à 20 h (heure de l'Est) ou le samedi de 10 h à 17 h. Fournissez votre adresse de livraison complète au représentant. (Pas de boîte postale).

Quand vous recevez le batteur sur socle, veuillez utiliser le carton et les matériaux d'emballage pour emballer le batteur sur socle original. Écrivez vos nom et adresse sur une feuille de papier et mettez-la dans le carton avec une copie de la preuve d'achat (reçu de caisse, facture de règlement par carte de crédit, etc.).

GARANTIE DE SATISFACTION TOTALE ET DE REMPLACEMENT - CANADA

Nous sommes tellement certains que la qualité de nos produits satisfait aux normes exigeantes de KitchenAid® que, si le batteur sur socle cesse de fonctionner au cours de la première année, KitchenAid le remplacera par un batteur sur socle identique ou comparable. L'appareil de rechange sera aussi couvert par notre garantie limitée d'un an. Veuillez suivre ces instructions pour recevoir ce service de qualité.

Si le batteur sur socle KitchenAid® cesse de fonctionner au cours de la première année, apportez-le ou retournez-le port dû à un centre de réparation KitchenAid autorisé. Écrivez votre nom et adresse complète sur une feuille de papier et mettez-la dans le carton avec une copie de la preuve d'achat (reçu de caisse, facture de règlement par carte de crédit, etc.) Le batteur sur socle sera expédié port prépayé et assuré. Si le service ne s'avère pas satisfaisant, appelez le numéro sans frais du Centre de relations avec la clientèle :
1 800 807 6777. Ou écrivez à :

Centre de relations avec la clientèle
KitchenAid Canada
1901 Minnesota Court
Mississauga, ON L5N 3A7

COMMENT OBTENIR UNE RÉPARATION SOUS GARANTIE À PUERTO RICO

Le batteur sur socle KitchenAid® est couvert par une garantie limitée d'un an à partir de la date d'achat. KitchenAid prendra en charge les coûts des pièces de rechange et de main-d'œuvre pour corriger les défauts de matériaux et de main-d'œuvre. Le service après-vente doit être assuré par un centre de réparation autorisé KitchenAid.

Apportez le batteur sur socle ou retournez-le port payé et assuré à un centre de réparation autorisé de KitchenAid. Le batteur sur socle réparé sera expédié port prépayé et assuré. S'il est impossible d'obtenir des réparations satisfaisantes de cette manière, appelez le numéro sans frais 1 800 541 6390 pour obtenir l'adresse d'un centre de réparation près de chez vous.

COMMENT OBTENIR UNE RÉPARATION HORS GARANTIE – TOUS LES TERRITOIRES

Avant d'appeler pour faire réparer, consultez la section Dépannage de la page 27.

Pour obtenir de l'information sur les réparations dans les 50 États des États-Unis, le district fédéral de Columbia et Puerto Rico,
appelez le numéro sans frais 1 800 541 6390.

Ou écrivez à :
Centre de satisfaction de la clientèle
KitchenAid Portable Appliances
P.O. Box 218
St. Joseph, MI 49085-0218

Ou contactez un centre de réparation autorisé près de chez vous.

Pour obtenir de l'information sur les réparations au Canada,
appelez le numéro sans frais 1 800 807 6777.

Ou écrivez à :
Centre de relations avec la clientèle
KitchenAid Canada
1901 Minnesota Court
Mississauga, ON L5N 3A7

COMMENT OBTENIR UNE RÉPARATION EN DEHORS DE CES TERRITOIRES

Demandez à votre distributeur local KitchenAid ou au détaillant où le batteur sur socle a été acheté où le faire réparer.

Pour obtenir de l'information sur les réparations au Mexique,
appelez le numéro sans frais
01-800-024-17-17
(JV Distribuciones)

ou

01-800-902-31-00
(Industrias Birtman)

Pour commander des accessoires ou des pièces de rechange pour le batteur sur socle dans les 50 États des États-Unis, dans le district fédéral de Columbia et à Puerto-Rico, appelez sans frais le 1 800 541 6390 du lundi au vendredi, de 8 h à 20 h (heure de l'Est), le samedi de 10 h à 17 h.

Ou écrivez à :
Centre de satisfaction de la clientèle
KitchenAid Portable Appliances
P.O. Box 218
St. Joseph, MI 49085-0218

Pour commander des accessoires ou des pièces de rechange pour le batteur sur socle au Canada, appelez sans frais le 1 800 807 6777.

Ou écrivez à :
Centre de relations avec la clientèle
KitchenAid Canada
1901 Minnesota Court
Mississauga, ON L5N 3A7

Pour commander des accessoires ou des pièces de rechange pour le batteur sur socle au Mexique, appelez sans frais le 01-800-024-17-17
(JV Distribuciones)
ou
01-800-902-31-00
(Industrias Birtman)

FRANÇAIS

DÉPANNAGE

Veuillez lire les directives suivantes avant de téléphoner au centre de réparation.

1. Le batteur sur socle peut se réchauffer durant l'utilisation. Dans le cas de charges importantes et d'une durée de mélange prolongée, il est possible que vous ne puissiez pas toucher facilement le dessus de l'appareil. Ceci est normal.

2. Le batteur sur socle peut dégager une odeur désagréable, particulièrement s'il est neuf. Cela se produit couramment avec les moteurs électriques.

3. Si le fouet plat frappe le bol, éteignez le batteur sur socle. Consultez la section « Jeu entre le fouet et le bol », page 34.

Veuillez conserver une copie du coupon de caisse indiquant la date d'achat de votre batteur. La preuve d'achat vous assure du service d'après-vente sous garantie.

Si le batteur sur socle fonctionne mal ou pas du tout, vérifiez les points suivants :

- Le batteur est-il branché?
- Le fusible du circuit relié au batteur sur socle est-il en état de marche? Si vous avez un disjoncteur, assurez-vous que le circuit est fermé.

- Débranchez le batteur sur socle et attendez 10 à 15 secondes, puis remettez-le en fonction. Si le batteur ne fonctionne pas, laissez-le refroidir pendant 30 minutes avant de le rebrancher.

Si le problème ne peut pas être résolu en suivant les étapes fournies dans cette section, veuillez communiquer avec KitchenAid ou un centre de réparation autorisé :

États-Unis/Puerto Rico : 1-800-541-6390,
Canada : 1 800 807 6777
Mexique : 01-800-024-17-17
(JV Distribuciones)
ou
01-800-902-31-00
(Industrias Birtman)

Consultez la section Garantie et réparations des produits KitchenAid de la page 23 pour obtenir plus de détails. Ne retournez pas le batteur chez le détaillant, car celui-ci n'offre pas de service de réparation.

FRANÇAIS

Culasse du moteur

Prise d'accessoires

Levier de réglage de la vitesse

Bouton d'accessoires

Levier de verrouillage de la culasse de moteur (non illustré)

Arbre du fouet

Fouet plat

Vis de réglage de la hauteur du fouet

Fouet fin

Crochet pétrisseur

Plaque de serrage du bol

Bol en acier inoxydable de 4½ ou de 5 pintes (4,26 ou 4,73 L)

REMARQUE : Cette photo illustre le batteur sur socle série Artisan®. Les caractéristiques de votre modèle de batteur peuvent différer légèrement.

28

ASSEMBLAGE DU BATTEUR SUR SOCLE À TÊTE INCLINABLE

⚠AVERTISSEMENT

Risque de choc électrique

Brancher sur une prise à 3 alvéoles reliée à la terre.

Ne pas enlever la broche de liaison à la terre.

Ne pas utiliser un adaptateur.

Ne pas utiliser un câble de rallonge.

Le non-respect de ces instructions peut causer un décès, un incendie ou un choc électrique.

Off
(ARRÊT)   On

Pour fixer le bol

1. Tournez le levier de réglage de la vitesse à la position OFF (ARRÊT).
2. Débranchez le batteur sur socle ou coupez le courant.
3. Faites basculer la culasse de moteur.
4. Placez le bol sur la plaque de serrage du bol.
5. Tournez doucement le bol dans le sens des aiguilles d'une montre.
6. Brancher sur une prise à 3 alvéoles reliée à la terre.

Pour retirer le bol

1. Tournez le levier de réglage de la vitesse à la position OFF (ARRÊT).
2. Débranchez le batteur sur socle ou coupez le courant.
3. Faites basculer la culasse de moteur.
4. Tournez le bol dans le sens contraire des aiguilles d'une montre.

Pour fixer le fouet plat, le fouet fin ou le crochet pétrisseur

1. Tournez le levier de réglage de la vitesse à la position OFF (ARRÊT).
2. Débranchez le batteur sur socle ou coupez le courant.
3. Faites basculer la culasse de moteur.
4. Faites glisser le fouet sur l'arbre du fouet et enfoncez-le le plus loin possible en poussant vers le haut.
5. Accrochez le fouet sur l'ergot situé sur l'arbre. Pour ce faire, tournez le fouet à droite.
6. Brancher sur une prise à 3 alvéoles reliée à la terre.

Ergot

Pour enlever le fouet plat, le fouet fin ou le crochet pétrisseur

1. Tournez le levier de réglage de la vitesse à la position OFF (ARRÊT).
2. Débranchez le batteur sur socle ou coupez le courant.
3. Faites basculer la culasse de moteur.
4. Poussez le fouet vers le haut, le plus loin possible, puis tournez-le vers la gauche.
5. Retirez le fouet de l'arbre.

Guide de réglage de la vitesse

Le levier de réglage de la vitesse doit toujours être au plus bas pour le démarrage, puis augmenté progressivement à la vitesse supérieure recherchée afin d'éviter les éclaboussures des ingrédients hors du bol. Reportez-vous à la page 35 pour consulter le Guide de réglage de la vitesse.

Réglage de la vitesse

Pour verrouiller la culasse du moteur

1. Assurez-vous que la culasse du moteur est complètement abaissée.
2. Mettez le levier de verrouillage à la position LOCK (verrouiller).
3. Avant d'utiliser le batteur, vérifiez le verrouillage en essayant de soulever la culasse.

Déverrouiller

Verrouiller

Pour déverrouiller la culasse du moteur

1. Mettez le levier de verrouillage à la position UNLOCK (déverrouiller).

REMARQUE : La culasse de moteur doit toujours être verrouillée lorsque vous utilisez le batteur.

Pour fixer l'écran verseur

1. Tournez le levier de réglage de la vitesse à la position OFF (ARRÊT).
2. Débranchez le batteur sur socle ou coupez le courant.
3. Fixez le fouet plat, le crochet pétrisseur ou le fouet fin et le bol (reportez-vous à la page 29).
4. De l'avant du batteur, faites glisser l'écran verseur sur le bol jusqu'à ce que l'écran soit centré. Le rebord inférieur de l'écran doit s'ajuster dans le bol.

Goulotte du bol

Pour enlever l'écran verseur

1. Tournez le levier de réglage de la vitesse à la position OFF (ARRÊT).
2. Débranchez le batteur sur socle ou coupez le courant.
3. Soulevez l'avant de l'écran verseur du rebord du bol et tirez vers l'avant.
4. Enlevez l'accessoire et le bol.

Pour utiliser l'écran verseur

1. Pour de meilleurs résultats, tournez l'écran de manière à ce que la culasse de moteur couvre l'espace en « U » dans l'écran. La goulotte se trouve directement à droite de la prise d'accessoires quand vous vous trouvez face au batteur.
2. Versez les ingrédients dans le bol par la goulotte.

FRANÇAIS

* Si l'écran verseur est inclus.

Fouet plat pour préparations standard à épaisses :

gâteaux	biscuits
glaçages à la crème	pains éclairs
bonbons	pains de viande
biscuits	pommes de terre en purée
pâte à tarte	

Fouet fin pour les préparations dans lesquelles il faut incorporer de l'air :

œufs	gâteaux éponges
blancs d'œufs	gâteaux des anges
crème épaisse	mayonnaise
glaçages bouillis	certains bonbons

Crochet pétrisseur pour mélanger et pétrir des pâtes à levure :

pains	brioches
petits pains mollets	petits pains au lait

DURÉE DE MÉLANGE

Le batteur sur socle KitchenAid® mélange plus rapidement et de manière plus homogène que la plupart des autres batteurs électriques. Par conséquent, la durée de mélange indiquée dans la plupart des recettes traditionnelles ou ne provenant pas d'un emballage doivent être modifiées pour éviter un fouettement excessif. Par exemple, dans le cas des gâteaux, la durée de fouettement peut être 2 fois plus courte que celle requise pour les autres batteurs.

⚠ AVERTISSEMENT

Risque de blessure

Débrancher le batteur avant de toucher aux fouets.

Le non-respect de cette instruction peut entraîner des fractures d'os, des coupures ou des bleus.

REMARQUE : Ne raclez pas le bol lorsque le batteur sur socle fonctionne.

Le bol et le batteur sont conçus pour assurer une homogénéité du mélange sans raclage fréquent. Habituellement, il suffit de racler le bol une ou deux fois durant le mélange. Éteignez l'appareil avant de racler les parois.

Le batteur sur socle peut se réchauffer durant l'utilisation. Dans le cas de charges importantes et d'une durée de mélange prolongée, il est possible que vous ne puissiez pas toucher facilement le dessus de l'appareil. Ceci est normal.

FRANÇAIS

ENTRETIEN ET NETTOYAGE

Le bol, le fouet plat blanc et le crochet pétrisseur blanc peuvent être lavés au lave-vaisselle. Vous pouvez aussi les nettoyer soigneusement à l'eau savonneuse chaude, puis les rincer complètement avant de les faire sécher. Le fouet fin doit être lavé à la main, puis séché immédiatement. Ne mettez pas le fouet fin au lave-vaisselle. Ne rangez pas l'appareil si les fouets sont sur l'arbre.

REMARQUE : Assurez-vous toujours de débrancher le batteur sur socle avant de le nettoyer. Essuyez le batteur sur socle à l'aide d'un chiffon doux et humide. N'utilisez pas de produits nettoyants à usage domestique ou commercial. N'immergez pas l'appareil dans l'eau. Essuyez fréquemment l'arbre du fouet pour enlever tout résidu pouvant s'accumuler.

Votre batteur sur socle est réglé en usine de manière à ce que le jeu entre le fouet plat et le fond du bol soit minimal. Si pour quelque raison que ce soit le fouet plat heurte le fond du bol ou que l'espace entre le fouet et le fond du bol est trop important, le jeu peut être corrigé de la façon suivante :

1. Tournez le levier de réglage de la vitesse à la position OFF (ARRÊT).
2. Débranchez le batteur sur socle ou coupez le courant.
3. Faites basculer la culasse de moteur.
4. Tournez LÉGÈREMENT la vis (A) dans le sens contraire des aiguilles d'une montre (gauche) pour monter le fouet plat ou dans le sens des aiguilles d'une montre (droite) pour le baisser.

A

5. Réglez le fouet plat de façon à dégager tout juste la surface du bol. Si vous réglez excessivement la vis, vous ne serez pas en mesure de verrouiller la culasse du moteur en position basse.

REMARQUE : Réglé adéquatement, le fouet plat ne heurtera pas le fond ni les parois du bol. Si le fouet plat ou le fouet fin est mal réglé et qu'il heurte le fond du bol, le revêtement du fouet plat peut disparaître ou les fils du fouet peuvent s'user.

GUIDE DE RÉGLAGE DE LA VITESSE

Nombre de vitesse	Vitesse de brassage	
STIR	BRASSAGE	Pour un brassage, un travail, un empâtage ou un démarrage lent de toutes les procédures de mélange. Utilisez cette vitesse pour ajouter de la farine et des ingrédients secs à une pâte, ajouter des liquides à des ingrédients secs, et mélanger des préparations épaisses. Utilisez avec l'accessoire servant à faire de la crème glacée.
2	MÉLANGE LENT	Pour le mélange lent, l'empâtage et le brassage rapide. Utilisez cette vitesse pour mélanger les pâtes épaisses et les bonbons, commencer à réduire les pommes de terre et autres légumes en purée, incorporer les matières grasses dans la farine, mélanger les pâtes claires ou qui éclaboussent, et mélanger et pétrir la pâte à levure. Utilisez avec l'ouvre-boîte.
4	MÉLANGE, BATTAGE	Pour mélanger les pâtes semi-épaisses comme celle des biscuits. Utilisez cette vitesse pour travailler le sucre et les matières grasses et ajouter le sucre aux blancs d'œuf pour les meringues. Vitesse moyenne pour les mélanges à gâteaux. Utilisez avec les accessoires suivants : broyeur d'aliments, dispositif rotatif à trancher/ déchiqueter et tamis à fruits et à légumes.
6	BATTAGE, CRÉMAGE	Pour un battage à vitesse moyenne élevée (crémage) ou le fouettage. Utilisez pour finir les mélanges à gâteaux, la pâte à beignets et autres pâtes. Vitesse moyenne pour les mélanges à gâteaux. Utilisez avec le presse-agrumes.
8	BATTAGE RAPIDE, FOUETTAGE	Pour fouetter la crème, les blancs d'oeufs, et les glaçages bouillis.
10	FOUETTAGE RAPIDE	Pour fouetter de petites quantités de crème ou de blancs d'oeufs. Utilisez cette vitesse avec l'accessoire pour faire des pâtes et le moulin à grains.

REMARQUE : La vitesse élevée ne sera pas maintenue dans le cas de charges importantes comme c'est le cas lorsque l'accessoire pour faire les pâtes ou le moulin à grains est utilisé. Ceci est normal. |

FRANÇAIS

REMARQUE : Le levier de réglage de la vitesse peut être réglé entre les vitesses indiquées dans le tableau ci-dessus pour obtenir les vitesses 3, 5, 7 et 9 si un réglage plus précis est nécessaire.

N'excédez pas la deuxième vitesse lorsque vous préparez des pâtes à levure. Cela peut endommager le batteur.

Adaptez votre recette au batteur

Les directives de mélange pour les recettes figurant dans ce manuel peuvent vous guider dans l'adaptation de vos recettes favorites pour la préparation au batteur sur socle KitchenAid®. Cherchez des recettes similaires aux vôtres, puis adaptez-les pour suivre les méthodes mentionnées dans les recettes similaires de KitchenAid.

Par exemple, la méthode « mélange rapide » (quelquefois appelée méthode « versage ») convient parfaitement pour les gâteaux simples comme le gâteau jaune rapide et le gâteau blanc facile dont les recettes figurent dans le présent manuel. Cette méthode demande de travailler les aliments secs avec tous ou presque tous les ingrédients liquides en une étape.

Les gâteaux plus élaborés, comme les tourtes, doivent être préparés à l'aide de la méthode de mélange traditionnelle. Cette méthode vous permet de bien mélanger (crémer) le sucre et la matière grasse, le beurre ou la margarine, avant l'ajout d'autres ingrédients.

Pour tous les gâteaux, la durée de mélange peut différer parce que le batteur sur socle KitchenAid® travaille plus rapidement que les autres. En général, le mélange d'une pâte à gâteau avec le batteur sur socle KitchenAid® prendra deux fois moins de temps que la durée indiquée dans la plupart des recettes à gâteaux traditionnelle ou ne provenant pas d'un emballage.

Pour trouver la durée de mélange idéale, observez la pâte ou la préparation et mélangez seulement jusqu'à obtenir l'apparence recherchée décrite dans votre recette, par exemple une apparence « lisse et crémeuse ».

Pour sélectionner la vitesse de mélange idéale, utilisez le Guide de réglage de la vitesse à la page 35.

Ajout des ingrédients

Ajoutez toujours les ingrédients aussi près que possible des parois du bol et non directement dans la zone du fouet en mouvement. Vous pouvez utiliser l'écran verseur pour simplifier l'ajout des ingrédients.

REMARQUE : Si les ingrédients qui se trouvent dans le fond du bol ne sont pas bien mélangés, cela signifie que le fouet n'est pas suffisamment près du fond du bol. Consultez la section « Jeu entre le fouet et le bol » à la page 34.

Mélanges à gâteaux

Lorsque vous préparez des mélanges à gâteaux du commerce, utilisez la 2e vitesse comme basse vitesse, la 4e vitesse comme vitesse moyenne et la 6e vitesse comme vitesse élevée. Pour obtenir de meilleurs résultats, mélangez la pâte selon le temps indiqué sur l'emballage.

Ajout de noix, de raisins ou de fruits confits

Suivez chaque recette pour connaître les directives sur l'ajout de ces ingrédients. En général, les matières solides doivent être incorporées au cours des dernières secondes de mélange à la vitesse d'agitation. La pâte doit être suffisamment épaisse pour que les fruits ou les noix ne tombent pas au fond du moule durant la cuisson. Les fruits collants doivent être saupoudrés de farine afin qu'ils soient mieux répartis dans la pâte.

Mélanges liquides

Les mélanges renfermant de grandes quantités d'ingrédients liquides doivent être mélangés à basse vitesse pour éviter les éclaboussures. Augmentez la vitesse seulement lorsque la mélange a épaissi.

BLANCS D'OEUFS

Placez les blancs d'œufs à température ambiante dans un bol sec et propre. Fixez le bol et le fouet fin. Pour éviter les éclaboussures, tournez graduellement le levier à la vitesse désignée et fouettez jusqu'à obtenir l'effet désiré. Consultez le tableau ci-dessous.

QUANTITÉ	VITESSE
1 blanc d'oeuf	GRADUELLEMENT à 10
2 blancs d'œufs et plus	GRADUELLEMENT à 8

Étapes de fouettage
Les blancs d'œufs sont fouettés rapidement grâce au batteur KitchenAid®. Soyez très attentif pour éviter tout fouettage excessif. La liste suivante vous indique à quoi vous attendre.

Mousseux
Grosses bulles d'air inégales.

Commence à garder sa forme
Les bulles d'air sont petites et compactes; le produit est blanc.

Pic souple
Les pics tombent lorsque le fouet est enlevé.

Presque ferme
Des pics bien nets se forment lorsque le fouet est enlevé, mais les blancs d'œufs sont souples.

Ferme sans être sec
Des pics fermes et nets se forment lorsque le fouet est enlevé. Les blancs d'œufs présentent une couleur et une brillance uniforme.

Ferme et sec
Des pics fermes et nets se forment lorsque le fouet est enlevé. Les blancs d'œufs présentent une apparence tachetée et matte.

CRÈME FOUETTÉE

Versez la crème à fouetter froide dans un bol refroidi. Fixez le bol et le fouet fin. Pour éviter les éclaboussures, tournez graduellement le levier à la vitesse désignée et fouettez jusqu'à obtenir l'effet désiré. Consultez le tableau ci-dessous.

QUANTITÉ	VITESSE
¼ - ¾ tasse (60 ml - 175 ml)	GRADUELLEMENT à 10
tasse et + (235 ml +)	GRADUELLEMENT à 8

Étapes de fouettage
Surveillez la crème de près durant le fouettage. Le batteur KitchenAid® fouette si rapidement que seules quelques secondes séparent les étapes de fouettage. Regardez si les caractéristiques suivantes sont présentes :

Commence à épaissir
La crème est épaisse et ressemble à une crème anglaise.

Garde sa forme
La crème forme des pics souples lorsque le fouet est enlevé. Dans le cas des desserts et des sauces, la crème peut être incorporée à d'autres ingrédients.

Ferme
La crème présente des pics fermes et nets lorsque le fouet fin est enlevé. Utilisez la crème pour napper des gâteaux ou d'autres desserts, ou pour fourrer des choux à la crème.

Renseignements généraux

Les accessoires KitchenAid® sont conçus pour assurer une longue vie utile. L'arbre de commande d'accessoires et la douille de prise d'accessoires sont carrés afin d'éliminer toute possibilité de glissement durant la transmission de puissance à l'accessoire. Les logements de la prise d'accessoires et de l'arbre sont effilés afin d'assurer un ajustement serré même après une utilisation et une usure prolongées. Les accessoires KitchenAid® ne requièrent pas aucune unité de puissance supplémentaire pour les faire fonctionner; car l'unité est intégrée.

Bouton d'accessoires

Arbre de commande d'accessoires‡

Douille

Douille de prise d'accessoires

Encoche

Ergot‡

Logement d'arbre de commande d'accessoires‡

‡Ne fait pas partie du batteur.

FRANÇAIS

Pour fixer

1. Tournez le levier de réglage de la vitesse à la position OFF (ARRÊT).
2. Débranchez le batteur ou coupez le courant.
3. Desserrez le bouton d'accessoires en le tournant dans le sens contraire des aiguilles d'une montre, et retirez le couvercle de prise d'accessoires ou faites-le basculer.
4. Insérez le logement d'arbre de commande d'accessoires dans la prise d'accessoires, en vous assurant que l'arbre de commande d'accessoires s'emboîte dans la douille carrée de la prise d'accessoires. Il peut être nécessaire de faire tourner l'accessoire d'avant en arrière. Si l'accessoire est bien placé, l'ergot situé sur l'accessoire s'emboîte dans l'encoche sur le rebord de la prise.
5. Serrez le bouton d'accessoires en le tournant dans le sens des aiguilles d'une montre jusqu'à ce que l'accessoire soit complètement assujetti au batteur.

⚠ AVERTISSEMENT

Risque de choc électrique

Brancher sur une prise à 3 alvéoles reliée à la terre.

Ne pas enlever la broche de liaison à la terre.

Ne pas utiliser un adaptateur.

Ne pas utiliser un câble de rallonge.

Le non-respect de ces instructions peut causer un décès, un incendie ou un choc électrique.

6. Brancher sur une prise à 3 alvéoles reliée à la terre.

Pour enlever

1. Tournez le levier de réglage de la vitesse à la position OFF (ARRÊT)..
2. Débranchez le batteur ou coupez le courant.
3. Desserrez le bouton d'accessoires en le tournant dans le sens contraire des aiguilles d'une montre. Tournez légèrement l'accessoire d'avant en arrière au moment de le retirer.
4. Replacez le couvercle de la prise d'accessoires. Serrez le bouton d'accessoires en le tournant dans le sens des aiguilles d'une montre.

COMPROBANTE DE COMPRA Y TARJETA DE REGISTRO DEL PRODUCTO

Siempre conserve una copia del recibo de ventas que especifique la fecha de compra de su batidora con base. El comprobante de compra le asegurará el servicio técnico bajo garantía.

Antes de utilizar su batidora con base, complete y envíe por correo su tarjeta de registro del producto incluida con la unidad.

Esta tarjeta nos permitirá comunicarnos con usted en el improbable caso de notificación de algún problema de seguridad con el producto y nos ayudará a cumplir con las cláusulas de la Consumer Product Safety Act (Ley sobre la seguridad de los productos para el consumidor). Esta tarjeta no asegura
su garantía.

Complete la siguiente información para su registro personal:
Número del modelo _____

Número de serie _____

Fecha de compra _____

Nombre de la tienda _____

Su seguridad y la seguridad de los demás es muy importante.

Hemos incluido muchos mensajes importantes de seguridad en este manual y en su electrodoméstico. Lea y obedezca siempre todos los mensajes de seguridad.

Este es el símbolo de advertencia de seguridad.

Este símbolo le llama la atención sobre peligros potenciales que pueden ocasionar la muerte o una lesión a usted y a los demás.

Todos los mensajes de seguridad irán a continuación del símbolo de advertencia de seguridad y de la palabra "PELIGRO" o "ADVERTENCIA". Estas palabras significan:

Si no sigue las instrucciones de inmediato, usted puede morir o sufrir una lesión grave.

Si no sigue las instrucciones, usted puede morir o sufrir una lesión grave.

Todos los mensajes de seguridad le dirán el peligro potencial, le dirán cómo reducir las posibilidades de sufrir una lesión y lo que puede suceder si no se siguen las instrucciones.

ESPAÑOL

MEDIDAS DE SEGURIDAD IMPORTANTES

Cuando utilice electrodomésticos, siempre se deben seguir las precauciones básicas de seguridad. Las instrucciones son las siguientes:

1. Lea todas las instrucciones.
2. Para protegerse del riesgo de descargas eléctricas, no coloque la batidora con base en agua ni en otro líquido.
3. Es necesario que supervise de cerca cuando algún electrodoméstico está siendo utilizado cerca de los niños o está siendo utilizado por éstos.
4. Desenchufe la batidora con base cuando no esté en uso, antes de colocarle o quitarle las piezas y antes de limpiarla.

5. Evite el contacto con las piezas móviles. Para reducir los riesgos de lesiones a personas y/o de daños a la batidora, mantenga las manos, el cabello, la vestimenta, las espátulas y otros utensilios alejados de la batidora con base cuando ésta esté en funcionamiento.

6. No utilice la batidora con base con un cable o un enchufe dañado, luego de un mal funcionamiento ni si se ha caído o dañado de alguna forma. Devuelva el electrodoméstico al Centro de servicio técnico autorizado más cercano para su inspección, reparación o ajuste eléctrico o mecánico. Llame al Centro de satisfacción del cliente de KitchenAid al 1-800-541-6390 para obtener más información.

7. El uso de accesorios no recomendados o vendidos por KitchenAid puede provocar incendios, descargas eléctricas o lesiones.

8. No utilice la batidora con base en exteriores.

9. No deje que el cable cuelgue del borde de la mesa o mostrador.

10. Quite el batidor plano, el batidor de alambre o el gancho amasador de la batidora con base antes de lavarla.

11. Este producto está diseñado para ser utilizado sólo para uso doméstico.

GUARDE ESTAS INSTRUCCIONES
REQUISITOS ELÉCTRICOS

ESPAÑOL

Voltios: Sólo C.A. de 120. Hertz: 60

La potencia en vatios para su batidora con base está impresa en una etiqueta debajo de la base de la batidora. También se menciona en la banda decorativa.

Si el cable del suministro eléctrico es demasiado corto, solicite a un electricista o a un técnico calificado que instale un tomacorriente cerca del electrodoméstico.

⚠ADVERTENCIA

Peligro de Choque Eléctrico

Conecte a un contacto de pared de conexión a tierra de 3 terminales.

No quite la terminal de conexión a tierra.

No use un adaptador.

No use un cable eléctrico de extensión.

No seguir estas instrucciones puede ocasionar la muerte, incendio o choque eléctrico.

GARANTÍA DE LA
BATIDORA CON BASE KITCHENAID®

Duración de la garantía:	KitchenAid pagará por:	KitchenAid no pagará por:
50 estados de los Estados Unidos, el Distrito de Columbia, Canadá y Puerto Rico: Un año de garantía limitada a partir de la fecha de compra.	**50 estados de los Estados Unidos, el Distrito de Columbia y Canadá:** el reemplazo de su batidora con base sin dificultades. Consulte la siguiente página para obtener los detalles sobre cómo realizar el reemplazo. O **En Puerto Rico:** Los costos de los repuestos y del trabajo de reparación para corregir los defectos en los materiales y la mano de obra. El servicio técnico debe ser provisto por un Centro de servicio técnico de KitchenAid autorizado. Para solicitar un servicio técnico, siga las instrucciones de la página 45.	A. Las reparaciones cuando la batidora con base sea utilizada con otro fin que no sea el uso doméstico normal de una familia. B. Los daños como consecuencia de un accidente, alteración, mal uso, abuso o uso con productos no aprobados por KitchenAid. C. Los costos de repuestos o de mano de obra de reparación de la batidora con base cuando haya sido utilizada fuera del país en donde fue comprada.

LA EXENCIÓN DE RESPONSABILIDAD DE LAS GARANTÍAS IMPLÍCITAS; LAS GARANTÍAS IMPLÍCITAS DE LIMITACIÓN DE LOS RECURSOS, INCLUYENDO GARANTÍAS EN LA MEDIDA EN QUE SE APLIQUEN A LA COMERCIABILIDAD O APTITUD CON UN FIN DETERMINADO, SON EXCLUIDAS EN LA MEDIDA PERMITIDA POR LEY. CUALQUIER GARANTÍA IMPLÍCITA QUE PUEDA SER IMPUESTA POR LEY ESTÁ LIMITADA A UN AÑO O AL PERÍODO MÁS CORTO PERMITIDO POR LEY. ALGUNOS ESTADOS Y PROVINCIAS NO PERMITEN LIMITACIONES NI EXCLUSIONES EN RELACIÓN CON LA DURACIÓN DE UNA GARANTÍA IMPLÍCITA DE COMERCIABILIDAD O DE APTITUD, DE MANERA TAL QUE LAS LIMITACIONES O EXCLUSIONES ANTERIORES PUEDE QUE NO SE APLIQUEN EN SU CASO. SI ESTE PRODUCTO NO FUNCIONA SEGÚN SE GARANTIZA, EL ÚNICO Y EXCLUSIVO RECURSO DEL CLIENTE SERÁ LA REPARACIÓN O EL REEMPLAZO SEGÚN LOS TÉRMINOS Y LAS CONDICIONES DE ESTA GARANTÍA LIMITADA. KITCHENAID Y KITCHENAID CANADA NO ASUMEN NINGUNA RESPONSABILIDAD POR DAÑOS INCIDENTALES O CONSIGUIENTES. Esta garantía le otorga derechos legales específicos y es posible que usted goce de otros derechos que varían de estado en estado o de provincia en provincia.

GARANTÍA DE REEMPLAZO SIN DIFICULTADES EN LOS 50 ESTADOS DE LOS ESTADOS UNIDOS Y EN EL DISTRITO DE COLUMBIA

Confiamos tanto en que la calidad de nuestros productos cumple con las exigentes normas de KitchenAid, que si la batidora con base presentara alguna falla durante el primer año, le enviaremos un reemplazo sin cargo idéntico o comparable a su domicilio y arreglaremos la devolución de la batidora con base original. El reemplazo de su unidad también estará cubierto por nuestra garantía limitada de un año. Siga estas instrucciones para recibir este servicio de calidad.

Si su batidora con base KitchenAid® presentara alguna falla durante el primer año, simplemente llame gratis a nuestro Centro de satisfacción al cliente KitchenAid al 1-800-541-6390, de lunes a viernes de 8 a.m. a 8 p.m. (Hora del Este), o los sábados, de 10 a.m. a 5 p.m. Proporcione al asesor su dirección completa para el envío. (No se aceptan números de casillas postales). Cuando reciba la unidad de reemplazo de su batidora con base, utilice la caja y los materiales de embalaje para embalar la batidora con base original. En la caja, escriba su nombre y dirección en un papel junto con la copia del comprobante de compra (recibo de compra, ticket de la tarjeta de crédito, etc.).

GARANTÍA DE REEMPLAZO SIN DIFICULTADES EN CANADÁ

Confiamos tanto en que la calidad de nuestros productos cumple con las exigentes normas de KitchenAid® que, si su batidora con base presentara alguna falla durante el primer año, KitchenAid Canada la reemplazará por una idéntica o comparable. El reemplazo de su unidad también estará cubierto por nuestra garantía limitada de un año. Siga estas instrucciones para recibir este servicio de calidad.

Si su batidora con base KitchenAid® presentara alguna falla durante el primer año, lleve la batidora con base o mándela con envío a cobrar a un Centro de servicio técnico KitchenAid® autorizado.

En la caja, escriba su nombre y dirección postal en un papel junto con la copia el comprobante de compra (recibo de compra, ticket de la tarjeta de crédito, etc.) La batidora con base de reemplazo se le entregará de forma prepaga y asegurada. Si no queda satisfecho con el servicio, llame de manera gratuita a nuestro Centro de interacción con el cliente al 1-800-807-6777. O escríbanos a:

Customer Interaction Centre
KitchenAid Canada
1901 Minnesota Court
Mississauga, ON L5N 3A7

CÓMO OBTENER EL SERVICIO DE GARANTÍA EN PUERTO RICO

Su batidora con base KitchenAid® tiene garantía limitada de un año a partir de la fecha de compra.

KitchenAid pagará los repuestos y la mano de obra para corregir defectos en los materiales y en la mano de obra. El servicio técnico debe ser provisto por un Centro de servicio técnico de KitchenAid autorizado. Lleve la batidora con base o mándela con envío asegurado prepago a un Centro de servicio técnico de KitchenAid autorizado. La batidora con base reparada se le entregará de forma prepaga y asegurada. Si no queda satisfecho con el servicio, llame de manera gratuita al 1 800-541-6390 para averiguar la ubicación del Centro de servicio técnico más cercano.

CÓMO OBTENER EL SERVICIO DE GARANTÍA UNA VEZ QUE ÉSTA HAYA EXPIRADO – TODOS LOS LUGARES

Antes de llamar al servicio técnico, revise la sección de Solución de problemas en la página 47.

Para obtener información sobre el servicio técnico en los 50 estados de los Estados Unidos, el Distrito de Columbia y Puerto Rico, llame de manera gratuita al 1-800-541-6390.

O escriba a:
Customer Satisfaction Center
KitchenAid Portable Appliances
P.O. Box 218
St. Joseph, MI 49085-0218

O comuníquese con un Centro de servicio técnico autorizado cercano a su domicilio.

Para obtener información sobre el servicio técnico en Canadá, manera gratuita al 1-800-807-6777.

O escriba a:
Customer Interaction Centre
KitchenAid Canada
1901 Minnesota Court
Mississauga, ON L5N 3A7

CÓMO OBTENER EL SERVICIO TÉCNICO EN OTROS LUGARES

Consulte a su distribuidor de KitchenAid local o a la tienda donde compró la batidora con base para obtener información sobre el servicio técnico.

Para obtener información sobre el servicio técnico en México, llame de manera gratuita al 01-800-024-17-17 (JV Distribuciones)

O

01-800-902-31-00 (Industrias Birtman)

CÓMO REALIZAR UN PEDIDO DE ACCESORIOS Y REPUESTOS

Para solicitar accesorios o repuestos para su batidora con base en los 50 estados de los Estados Unidos, el Distrito de Columbia y Puerto Rico,
llame de manera gratuita al 1-800-541-6390, de lunes a viernes, de 8 a.m. a 8 p.m. (Hora del Este) o los sábados, de 10 a.m. a 5 p.m.

O escriba a:
Customer Satisfaction Center, KitchenAid Portable Appliances, P.O. Box 218, St. Joseph, MI 49085-0218

Para solicitar accesorios o repuestos para su batidora con base en Canadá,
llame de manera gratuita al 1-800-807-6777.

O escriba a:
Customer Interaction Centre KitchenAid Canada 1901 Minnesota Court Mississauga, ON L5N 3A7

Para solicitar accesorios o repuestos para su batidora con base en México,
llame de manera gratuita al 01-800-024-17-17 (JV Distribuciones) O 01-800-902-31-00 (Industrias Birtman)

Lea lo siguiente antes de llamar a su servicio técnico.

1. Es posible que la batidora con base se caliente durante su uso. Cuando la batidora funciona con cargas pesadas durante tiempos de mezclado prolongados, es posible que no pueda tocar de manera confortable la parte superior de la unidad. Esto es normal.

2. Es posible que la batidora con base emita un fuerte olor acre, especialmente cuando es nueva. Esto es común en los motores eléctricos.

3. Si el batidor plano choca con el bol, detenga la batidora con base. Consulte la sección "Distancia entre el batidor y el bol" en la página 54.

Conserve una copia del recibo de ventas que especifique la fecha de compra. El comprobante de compra le asegurará el servicio técnico bajo garantía.

Si su batidora con base falla o no funciona, verifique lo siguiente:

– ¿La batidora con base está enchufada?

– ¿El fusible del circuito de la batidora con base funciona bien? Si tiene una caja del interruptor de circuitos, asegúrese de que el circuito esté cerrado.

– Apague la batidora con base durante 10 ó 15 segundos y luego enciéndala nuevamente. Si la batidora continúa sin funcionar, déjela enfriar durante 30 minutos antes de encenderla nuevamente.

Si el problema no se resuelve con los pasos dados en esta sección, comuníquese con KitchenAid o con el Centro de servicio técnico autorizado:

EE.UU./Puerto Rico: 1-800-541-6390
Canadá: 1-800-807-6777
México: 01-800-024-17-17
(JV Distribuciones)
O
01-800-902-31-00
(Industrias Birtman)

Para obtener más detalles, consulte la sección de Garantía KitchenAid y servicio técnico en la página 43. No devuelva la batidora a la tienda donde la compró, ellos no brindan el servicio técnico.

ESPAÑOL

Cabezal con motor

Perilla de control de la velocidad

Centro de conexión para accesorios

Perilla para accesorios

Palanca de ajuste del cabezal con motor
(no se muestra)

Eje del batidor

Batidor plano

Tornillo para ajustar la altura del batidor

Bol de acero inoxidable de 4,26 o 4,73 L (4½ o 5 cuartos de galón)

Batidor de alambre

Gancho amasador

Placa de sujeción del bol

ESPAÑOL

NOTA: Esta foto muestra la batidora con base serie Artisan®. Es posible que las características de su modelo de batidora varíen ligeramente.

⚠️ADVERTENCIA

Off
(apagado)

On
(encendido)

Peligro de Choque Eléctrico

Conecte a un contacto de pared de conexión a tierra de 3 terminales.

No quite la terminal de conexión a tierra.

No use un adaptador.

No use un cable eléctrico de extensión.

No seguir estas instrucciones puede ocasionar la muerte, incendio o choque eléctrico.

Para colocar el bol

1. Haga girar la perilla de control de la velocidad hasta la posición OFF (apagado).
2. Desenchufe la batidora con base o desconecte la energía.
3. Incline el cabezal con motor hacia atrás.
4. Coloque el bol sobre la placa de sujeción.
5. Gire el bol suavemente hacia la derecha.
6. Conecte a un contacto de pared de conexión a tierra de 3 terminales.

Para quitar el bol

1. Haga girar la perilla de control de la velocidad hasta la posición OFF (apagado).
2. Desenchufe la batidora con base o desconecte la energía.
3. Incline el cabezal con motor hacia atrás.
4. Gire el bol hacia la izquierda.

Para colocar el batidor plano, el batidor de alambre o el gancho amasador

1. Haga girar la perilla de control de la velocidad hasta la posición OFF (apagado).
2. Desenchufe la batidora con base o desconecte la energía.
3. Incline el cabezal con motor hacia atrás.
4. Deslice el batidor sobre el eje del batidor y presione hacia arriba tanto como sea posible.
5. Gire el batidor hacia la derecha y engánchelo en la clavija del eje.
6. Conecte a un contacto de pared de conexión a tierra de 3 terminales.

Clavija

ESPAÑOL

Para quitar el batidor plano, el batidor de alambre o el gancho amasador

1. Haga girar la perilla de control de la velocidad hasta la posición OFF (apagado).
2. Desenchufe la batidora con base o desconecte la energía.
3. Incline el cabezal con motor hacia atrás.
4. Presione el batidor hacia arriba tanto como sea posible y gírelo hacia la izquierda.
5. Saque el batidor del eje del batidor.

Para operar la perilla de control de la velocidad

La palanca de control de la velocidad siempre debe colocarse en la velocidad más baja para encenderse y luego, se debe mover gradualmente a la velocidad más alta deseada para evitar salpicaduras de los ingredientes fuera del bol. Consulte la página 55 para obtener más información sobre la Guía para el control de la velocidad.

Control de la velocidad

Para trabar el cabezal con motor

1. Asegúrese de que el cabezal con motor esté completamente abajo.
2. Coloque la palanca de ajuste en LOCK (trabar).
3. Antes de mezclar, pruebe si está trabado intentando elevar el cabezal.

Trabar Destrabar
(LOCK) (UNLOCK)

Para destrabar el cabezal con motor

1. Coloque la palanca de ajuste en UNLOCK (destrabar).

NOTA: Cuando se utiliza la batidora, el cabezal con motor siempre debe mantenerse en la posición LOCK (trabar).

Para colocar el protector de vertido

1. Haga girar la perilla de control de la velocidad hasta la posición OFF (apagado).
2. Desenchufe la batidora con base o desconecte la energía.
3. Coloque el batidor plano, el gancho amasador o el batidor de alambre y el bol (vea la página 49).

Canal de descarga

4. Desde el frente de la batidora, deslice el protector de vertido sobre el bol hasta que el protector quede centrado. El borde inferior del protector debe encajar dentro del bol.

Para quitar el protector de vertido

1. Haga girar la perilla de control de la velocidad hasta la posición OFF (apagado).
2. Desenchufe la batidora con base o desconecte la energía.
3. Levante la parte delantera del protector de vertido, aléjela del borde del bol y jale hacia adelante.
4. Quite el accesorio y el bol.

Para utilizar el protector de vertido

1. Para obtener los mejores resultados, gire el protector para que el cabezal con motor cubra la abertura en forma de "u" en el protector. Si usted se coloca de frente a la batidora, el vertedor estará a la derecha del centro de conexión para accesorios.
2. Vierta los ingredientes en el bol a través del vertedor.

ESPAÑOL

* Si se incluye el protector de vertido.

Batidor plano para mezclas de normales a espesas:

pasteles	galletas
glaseados con crema	panes rápidos
caramelos	pastel de carne
galletas dulces	puré de papas
masa para tartas	

Batidor de alambre para las mezclas que necesitan que se incorpore aire:

huevos	pasteles esponjosos
claras de huevo	pasteles de ángel
crema espesa	mayonesa
merengue italiano o cocido	algunos tipos de caramelos

Gancho amasador para mezclar y amasar masas con levadura:

panes	pastel de café
panecillos	bollos

TIEMPO DE MEZCLADO

Su batidora con base KitchenAid® mezclará más rápidamente y mejor que la mayoría de las otras batidoras con base eléctricas. Por lo tanto, el tiempo de mezclado de la mayoría de las recetas tradicionales y de las que no vienen en los paquetes debe adaptarse para evitar batir más de lo necesario. En los pasteles, por ejemplo, el tiempo de batido es posible que sea la mitad que si se utilizan otras batidoras con base.

⚠ADVERTENCIA

Peligro de Lesiones

Desenchufe la batidora antes de tocar los batidores.

No seguir esta instrucción puede ocasionar fracturas de huesos, cortaduras o magulladuras.

NOTA: No raspe el bol mientras la batidora con base está en funcionamiento.

El bol y el batidor están diseñados para mezclar exhaustivamente sin necesidad de raspar frecuentemente. El raspar el bol una o dos veces mientras se está mezclando es suficiente. Apague la unidad antes de raspar el bol.

Es posible que la batidora con base se caliente durante su uso. Cuando la batidora funciona con cargas pesadas durante tiempos de mezclado prolongados, es posible que no pueda tocar de manera confortable la parte superior de la unidad. Esto es normal.

CUIDADO Y LIMPIEZA

El bol, el batidor plano blanco y el gancho amasador blanco pueden lavarse en un lavaplatos automático. También pueden limpiarse bien en agua jabonosa caliente y luego enjuagarse antes de secarlos. El batidor de alambre debe lavarse a mano y secarse inmediatamente. No lave el batidor de alambre en un lavaplatos. No guarde los batidores colocados en el eje.

NOTA: Siempre asegúrese de desenchufar la batidora con base antes de limpiarla. Limpie la batidora con base con un trapo suave y húmedo. No utilice limpiadores de uso doméstico ni comerciales. No la sumerja en agua. Limpie el eje del batidor frecuentemente y quite todo residuo que se hubiera acumulado.

ESPAÑOL

DISTANCIA ENTRE EL BATIDOR Y EL BOL

Su batidora con base se ajusta en la fábrica para que el batidor plano no toque el fondo del bol. Si por algún motivo el batidor plano choca con el fondo del bol o está muy lejos de éste, puede corregir el espacio fácilmente.

1. Haga girar la perilla de control de l a velocidad hasta la posición OFF (apagado).
2. Desenchufe la batidora con base o desconecte la energía.
3. Incline el cabezal con motor hacia atrás.
4. Gire el tornillo (A) LEVEMENTE en sentido antihorario (hacia la izquierda) para elevar el batidor plano o en sentido horario (hacia la derecha) para bajar el batidor plano.

A

5. Ajuste para que el batidor plano no toque la superficie del bol. Si ajusta demasiado el tornillo, es posible que no pueda trabar el cabezal con motor cuando éste se baja.

NOTA: Cuando el batidor plano está debidamente ajustado, no golpea ni el fondo ni los laterales del bol. Si el batidor plano o el batidor de alambre se ajustan de manera que golpean el bol, el revestimiento del batidor puede desprenderse o los alambres del batidor pueden desgastarse.

GUÍA PARA EL CONTROL DE LA VELOCIDAD

Número de velocidades	Velocidad de mezclado	
	REVOLVER	Para revolver lentamente, ligar, hacer puré, iniciar todos los procesos de mezcla. Utilice para añadir harina e ingredientes secos a las mezclas, añadir líquidos a ingredientes secos y ligar mezclas espesas. Utilice con el accesorio para hacer helados.
2	MEZCLAR LENTAMENTE	Para mezclar lentamente, hacer puré, revolver más rápidamente. Utilice para mezclar mezclas espesas y caramelos, para comenzar a hacer puré de papas o de otras verduras, para desmenuzar la materia grasa en la harina, para mezclar mezclas poco espesas y líquidas que salpican fácilmente y para mezclar y amasar masas con levadura. Utilice con el accesorio abridor de latas.
4	MEZCLAR, BATIR	Para mezclar mezclas semiespesas como por ejemplo galletas dulces. Utilice para ligar azúcar y materia grasa y para añadir azúcar a las claras de huevo para hacer merengues. Velocidad media para mezclas para pasteles. Utilice con: Triturador de alimentos, rebanador/desmenuzador con rotor y colador de frutas y verduras.
6	BATIR, HACER CREMAS	Para batir a velocidad media rápida (para hacer cremas). Utilice para finalizar las mezclas para pasteles, donas y otras mezclas. Velocidad alta para mezclas para pasteles. Utilice con el accesorio exprimidor de cítricos.
8	BATIR O MEZCLAR RÁPIDAMENTE	Para batir crema, claras de huevos y merengues italianos o cocidos.
10	MEZCLAR RÁPIDAMENTE	Para mezclar rápidamente pequeñas cantidades de crema o claras de huevos. Utilice con el accesorio para hacer pastas y el molinillo para café.

ESPAÑOL

NOTA: Es posible que la batidora no mantenga las velocidades rápidas con cargas pesadas, por ejemplo, cuando se utiliza el accesorio para hacer pastas y el molinillo para café. Esto es normal.

NOTA: La palanca de control de la velocidad puede ubicarse entre las velocidades que se mencionan en el cuadro anterior para obtener las velocidades 3, 5 , 7 y 9 en caso que sea necesario un ajuste más sutil. No exceda la velocidad 2 cuando prepare masas con levadura. Si lo hace puede dañar la batidora.

Cómo convertir su receta para la batidora

Las instrucciones de mezclado para las recetas de este libro pueden guiarlo para convertir sus recetas favoritas y así poder prepararlas con su batidora con base KitchenAid®. Busque recetas similares a las suyas y luego, adapte sus recetas para utilizarlas con los procedimientos de las recetas de KitchenAid. Por ejemplo, el método de "mezclado rápido" es ideal para pasteles simples como el pastel amarillo rápido y el pastel blanco fácil que se incluyen en este libro. Este método consiste en ligar los ingredientes secos con la mayoría o todos los ingredientes líquidos en un solo paso.

Los pasteles más elaborados (con crema y frutos) deben prepararse utilizando el método tradicional de mezclado para pasteles. Con este método, el azúcar y la materia grasa, la mantequilla o margarina se mezclan bien (adquieren una consistencia cremosa) antes de que se añadan otros ingredientes.

Es posible que los tiempos de batido cambien para todos los pasteles ya que su batidora con base KitchenAid® funciona más rápido que otras batidoras. En general, mezclar un pastel con la batidora con base KitchenAid® llevará aproximadamente la mitad del tiempo que se requiere para la mayoría de las recetas de tradicionales y de las que no vienen en los paquetes.

Para determinar el tiempo de mezclado ideal, observe la mezcla o la masa y mezcle sólo hasta que adquiera el aspecto deseado que se describe en su receta, como por ejemplo "homogénea y cremosa".

Para seleccionar las mejores velocidades de mezclado, utilice la Guía para el control de la velocidad de la página 55.

Cómo añadir ingredientes

Siempre añada los ingredientes lo más cerca del lateral del bol como sea posible, no directamente en el batidor en movimiento. El protector de vertido puede utilizarse para añadir los ingredientes de manera más fácil.

NOTA: Si los ingredientes del fondo del bol no se mezclan bien es porque la distancia entre el batidor y el bol no es la adecuada. Consulte la sección "Distancia entre el batidor y el bol" en la página 54.

Mezclas para pasteles

Cuando prepara mezclas para pasteles que vienen en los paquetes, utilice la velocidad 2 para una velocidad baja, la velocidad 4 para una velocidad media y la velocidad 6 para una velocidad alta. Para obtener los mejores resultados, mezcle durante el tiempo especificado en las instrucciones del paquete.

Cómo añadir nueces, uvas pasas o frutas confitadas

Para las pautas sobre cómo añadir estos ingredientes, siga cada receta en particular. En general, los materiales sólidos deben incorporarse en los últimos segundos del mezclado a velocidad "revolver". La mezcla debe ser lo suficientemente espesa como para evitar que las frutas secas o confitadas se depositen en el fondo del molde durante el horneado. Las frutas pegajosas deben espolvorearse con harina para que se distribuyan mejor en la mezcla.

Mezclas líquidas

Las mezclas que contienen grandes cantidades de ingredientes líquidos deben mezclarse a velocidades más lentas para evitar salpicaduras. Incremente la velocidad sólo después de que la mezcla se haya espesado.

CLARAS DE HUEVO

Coloque las claras a temperatura ambiente en un bol limpio y seco. Coloque el bol y el batidor de alambre. Para evitar salpicaduras, gire gradualmente hasta la velocidad designada y bata hasta obtener el punto deseado. Vea el siguiente cuadro.

CANTIDAD	VELOCIDAD
1 clara de huevo...	GRADUALMENTE hasta 10
2+ claras de huevo...	GRADUALMENTE hasta 8

Puntos de batido
Con su batidora KitchenAid®, las claras de huevo se baten rápidamente. Por lo tanto, tenga cuidado para no batir más de lo necesario. Esta lista le indica qué esperar.

Espumoso
Burbujas de aire grandes y disparejas.

Comienza a tomar forma
Las burbujas de aire son sutiles y compactas. El producto es blanco.

Pico Suave
Las puntas de los picos caen cuando se quita el batidor de alambre.

Casi rígido
Cuando se quita el batidor de alambre, se forman picos puntiagudos, pero las claras están suaves.

Rígido pero no seco
Cuando se quita el batidor de alambre, se forman picos puntiagudos y rígidos. Las claras tienen color y brillo uniformes.

Rígido y seco
Cuando se quita el batidor de alambre, se forman picos puntiagudos y rígidos. Aparentemente, las claras tienen pequeñas manchitas y son opacas.

CREMA BATIDA

Vierta crema batida fría en un bol frío. Coloque el bol y el batidor de alambre. Para evitar salpicaduras, gire gradualmente hasta la velocidad designada y bata hasta obtener el punto deseado. Vea el siguiente cuadro.

CANTIDAD	VELOCIDAD
¼ - ¾ de taza .... (60 ml - 175 ml)	GRADUALMENTE hasta 10
1+ tazas............... (235 ml +)	GRADUALMENTE hasta 8

Puntos de batido
Observe la crema con atención mientras bate. Debido a que su batidora KitchenAid® bate tan rápido, sólo hay unos pocos segundos entre los puntos de batido. Busque estas características:

Comienza a espesarse
La crema es espesa y tiene la consistencia de la natilla.

Conserva su forma
Cuando se quita el batidor, la crema forma picos suaves. Puede incorporarse a otros ingredientes cuando se hacen postres y salsas.

Rígido
Cuando se quita el batidor de alambre, la crema forma picos rígidos y puntiagudos. Utilice como cobertura para tortas y postres, como relleno para bombas de crema.

Información general

Los accesorios KitchenAid® están diseñados para garantizar una larga
vida útil. El eje de potencia y el conector del centro de conexión para
accesorios son cuadrados para evitar que se resbalen durante la transmisión
de energía al accesorio. La cubierta del eje y del centro de conexión es
estrecha para garantizar un encaje ceñido, aún luego de un uso y desgaste
prolongado. Los accesorios KitchenAid® no precisan una unidad de
potencia adicional para funcionar ya que poseen una incorporada.

Perilla para accesorios

Centro de conexión

Eje de potencia para accesorios‡

Conector del centro de conexión para accesorios

Ranura

Clavija‡

Cubierta del eje para accesorios‡

‡No son parte de la batidora.

ESPAÑOL

58

Para conectar

1. Haga girar la perilla de control de la velocidad hasta la posición OFF (apagado).
2. Desenchufe la batidora o desconecte la energía.
3. Afloje la perilla para accesorios girándola a la izquierda y quite o levante la cubierta abisagrada del centro de conexión para accesorios.
4. Inserte la cubierta del eje para accesorios en el centro de conexión para accesorios asegurándose de que el eje de potencia para accesorios encaje en el conector del centro de conexión cuadrado. Es posible que sea necesario girar el accesorio hacia atrás y hacia adelante. Cuando el accesorio se encuentre en la posición adecuada, la clavija del accesorio encajará en la ranura que se encuentra sobre el borde del centro de conexión.
5. Ajuste la perilla para accesorios girándola en sentido horario hasta que el accesorio esté completamente afirmado en la batidora.

⚠ADVERTENCIA

Peligro de Choque Eléctrico

Conecte a un contacto de pared de conexión a tierra de 3 terminales.

No quite la terminal de conexión a tierra.

No use un adaptador.

No use un cable eléctrico de extensión.

No seguir estas instrucciones puede ocasionar la muerte, incendio o choque eléctrico.

6. Conecte a un contacto de pared de conexión a tierra de 3 terminales.

Para quitar

1. Haga girar la perilla de control de la velocidad hasta la posición OFF (apagado).
2. Desenchufe la batidora o desconecte la energía.
3. Afloje la perilla para accesorios girándola a la izquierda. Gire el accesorio levemente hacia atrás y hacia adelante mientras que jala hacia afuera.
4. Vuelva a colocar la cubierta del centro de conexión para accesorios. Ajuste la perilla para accesorios girándola a la derecha.

ESPAÑOL

MUSHROOM-ONION TARTLETS

YIELD: 24 TARTLETS

4 ounces light cream cheese	8 ounces fresh mushrooms, coarsely chopped
3 tablespoons butter or margarine, divided	½ cup chopped green onions
¾ cup plus 1 teaspoon all-purpose flour	1 egg
	¼ teaspoon dried thyme leaves
	½ cup shredded Swiss cheese

Place cream cheese and 2 tablespoons butter in mixer bowl. Attach bowl and flat beater to mixer. Turn to Speed 4 and beat about 1 minute. Stop and scrape bowl. Add ¾ cup flour. Turn to Speed 2 and mix about 1 minute, or until well blended. Form mixture into ball. Wrap in waxed paper and chill 1 hour. Clean mixer bowl and beater.

Divide chilled dough into 24 pieces. Press each piece into miniature muffin cup (greased, if desired).

Meanwhile, melt remaining 1 tablespoon butter in 10-inch skillet over medium heat. Add mushrooms and onions. Cook and stir until tender. Remove from heat. Cool slightly.

Place egg, remaining 1 tablespoon flour, and thyme in mixer bowl. Attach bowl and flat beater to mixer. Turn to Speed 6 and beat about 30 seconds. Stir in cheese and cooled mushroom mixture. Spoon into pastry-lined muffin cups. Bake at 375°F for 15 to 20 minutes, or until egg mixture is puffed and golden brown. Serve warm.

PER SERVING: (2 TARTLETS) ABOUT 98 CAL, 4 G PRO, 8 G CARB, 6 G FAT, 33 MG CHOL, 83 MG SOD

BASIC EGG NOODLE PASTA

YIELD: 1 ¼ POUNDS DOUGH

4 **large eggs (⅞ cup eggs)**	3½ **cups sifted all-purpose flour**
1 **tablespoon water**	

Place eggs, water, and flour in mixer bowl. Attach bowl and flat beater to mixer. Turn to Speed 2 and mix for 30 seconds.

Remove flat beater and attach dough hook. Turn to Speed 2 and knead 2 minutes. Hand knead dough for 30 seconds to 1 minute. Cover with dry towel and let rest 15 minutes before extruding through Pasta Maker, rolling through Pasta Rollers, or rolling out and cutting by hand.

PER SERVING: ABOUT 94 CAL, 4 G PRO, 17 G CARB, 1 G FAT, 42 MG CHOL, 14 MG SOD.

TIP: *To Cook Pasta,* Add 1 tablespoon salt and 1 tablespoon oil to 6 quarts boiling water. Gradually add pasta and continue to cook at a slow boil until pasta is "al dente" or slightly firm to the bite. Pasta floats on top of the water as it cooks, so stir occasionally to keep pasta cooking evenly. When done cooking, drain in a colander.

For Spaghetti, Flat Noodles, and Macaroni, cook entire recipe as above.

For Lasagna, cook half the recipe at a time.

FOR THE WAY IT'S MADE.™

CRUST PIZZA DOUGH

YIELD: 4 SERVINGS (¼ PIZZA PER SERVING).

1 package active dry yeast
1 cup warm water
  (105°F to 115°F)
½ teaspoon salt

2 teaspoons olive oil
2½ to 3½ cups all-purpose flour
1 tablespoon cornmeal

Dissolve yeast in warm water in warmed mixer bowl. Add salt, olive oil, and 2½ cups flour. Attach bowl and dough hook to mixer. Turn to Speed 2 and mix about 1 minute.

Continuing on Speed 2, add remaining flour, ½ cup at a time, and mix until dough clings to hook and cleans sides of bowl, about 2 minutes. Knead on Speed 2 about 2 minutes longer.

Place dough in greased bowl, turning to grease top. Cover. Let rise in warm place, free from draft, about 1 hour, or until doubled in bulk. Punch dough down.

Brush 14-inch pizza pan with oil. Sprinkle with cornmeal. Press dough across bottom of pan, forming a collar around edge to hold toppings. Add toppings as desired. Bake at 450°F for 15 to 20 minutes.

PER SERVING: ABOUT 373 CAL, 11 G PRO, 74 G CARB, 3 G FAT, 0 MG CHOL, 271 MG SOD.

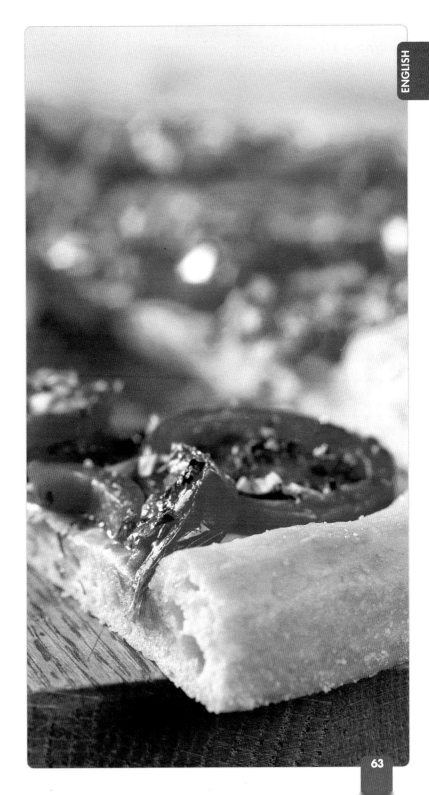

RAPID MIX COOL RISE WHITE BREAD

YIELD: 32 SERVINGS (16 SLICES PER LOAF)

6 to 7 cups all-purpose flour
2 tablespoons sugar
3½ teaspoons salt
3 packages active dry yeast

¼ cup butter or margarine, softened
2 cups very warm water (120°F to 130°F)

Place 5½ cups flour, sugar, salt, yeast, and butter in mixer bowl. Attach bowl and dough hook to mixer. Turn to Speed 2 and mix about 20 seconds. Gradually add warm water and mix about 1½ minutes longer.

Continuing on Speed 2, add remaining flour, ½ cup at a time, and mix until dough clings to hook and cleans sides of bowl, about 2 minutes. Knead on Speed 2 about 2 minutes longer.

Cover dough with plastic wrap and a towel. Let rest 20 minutes.

Divide dough in half. Shape each half into a loaf as directed on page 68. Place in greased 8½×4-½×2½-inch loaf pans. Brush each loaf with oil and cover loosely with plastic wrap. Refrigerate 2 to 12 hours.

When ready to bake, uncover dough carefully. Let stand at room temperature 10 minutes. Puncture any gas bubbles which may have formed. Bake at 400°F for 35 to 40 minutes. Remove from pans immediately and cool on wire racks.

PER SERVING: ABOUT 110 CAL, 3 G PRO, 21 G CARB, 2 G FAT, 0 MG CHOL, 251 MG SOD.

General instructions for making and kneading yeast dough with the Rapid Mix method

"Rapid Mix" describes a bread baking method that calls for dry yeast to be mixed with other dry ingredients before liquid is added, rather than the traditional method of dissolving the yeast in warm liquid.

1. Place yeast and all other dry ingredients except 1 to 2 cups flour in mixer bowl.

2. Attach bowl and dough hook. Turn to Speed 2 and mix until dry ingredients are combined, about 15 seconds.

3. Continuing on Speed 2, gradually* add liquid ingredients to flour mixture and mix 1 to 2 minutes longer.

4. Continuing on Speed 2, add remaining flour ½ cup at a time, until dough forms. Mix until dough clings to hook and cleans sides of bowl, about 2 minutes.

5. When dough clings to hook, knead on Speed 2 until dough is smooth and elastic, for 2 minutes.

6. Remove dough hook and bowl from the mixer, and then the dough from the hook and bowl. Follow recipe directions for rising, shaping and baking.

*__*Note:__ If liquid ingredients are added too quickly in Step 3, they will form a pool around the dough hook and slow down the mixing process.*

TIP: The "Rapid Mix" method may be faster and easier for new bread bakers. It is slightly more temperature tolerant because the yeast is mixed with dry ingredients rather than with warm liquid.

WHOLE GRAIN WHEAT BREAD

YIELD: 32 SERVINGS (16 SLICES PER LOAF).

⅓ cup plus 1 tablespoon brown sugar, divided

2 cups warm water (105°F to 115°F)

2 packages active dry yeast

5 to 6 cups whole wheat flour

¾ cup powdered milk

2 teaspoons salt

⅓ cup oil

Dissolve 1 tablespoon brown sugar in warm water in small bowl. Add yeast and let mixture stand.

Place 4 cups flour, powdered milk, ⅓ cup brown sugar, and salt in mixer bowl. Attach bowl and dough hook to mixer. Turn to Speed 2 and mix about 15 seconds. Continuing on Speed 2, gradually add yeast mixture and oil to flour mixture and mix about 1½ minutes longer. Stop and scrape bowl, if necessary.

Continuing on Speed 2, add remaining flour, ½ cup at a time, and mix until dough clings to hook* and cleans sides of bowl, about 2 minutes. Knead on Speed 2 about 2 minutes longer.

Place dough in greased bowl, turning to grease top. Cover. Let rise in warm place, free from draft, about 1 hour, or until doubled in bulk.

Punch dough down and divide in half. Shape each half into a loaf as directed on page 68. Place in greased 8½×4½×2½-inch loaf pan. Cover. Let rise in warm place, free from draft, about 1 hour, or until doubled in bulk.

Bake at 400°F for 15 minutes. Reduce oven temperature to 350°F and bake 30 minutes longer. Remove from pans immediately and cool on wire racks.

PER SERVING: ABOUT 112 CAL, 4 G PRO, 19 G CARB, 3 G FAT, 2 MG CHOL, 146 MG SOD.

*Note: Dough may not form a ball on hook. However, as long as hook comes in contact with dough, kneading will be accomplished. Do not add more than the maximum amount of flour specified or a dry loaf will result.

BREAD MAKING TIPS

Making bread with a stand mixer is quite different than making bread by hand. Therefore, it will take some practice before you are completely comfortable with the new process. For your convenience, we offer these tips to help you become accustomed to breadmaking the KitchenAid way.

- Start with an easy recipe, such as Rapid Mix Cool Rise White Bread (page 64) until you are familiar with using the dough hook.

- ALWAYS use the dough hook to mix and knead yeast doughs.

- NEVER exceed Speed 2 when using the dough hook.

- NEVER use recipes calling for more than 8 cups all-purpose flour or 6 cups whole wheat flour when making dough with a 4½-quart mixer.

- NEVER use recipes calling for more than 10 cups all-purpose flour or 6 cups whole wheat flour when making dough with a 5-quart mixer.

- NEVER use recipes calling for more than 12 cups all-purpose flour or 8 cups whole wheat flour when making dough with a 6-quart mixer.

- Use a candy thermometer or other kitchen thermometer to ensure that liquids are at the temperature specified in the recipe. Liquids at higher temperatures can kill yeast, while liquids at lower temperatures will retard yeast growth.

- Warm all ingredients to room temperature to ensure a proper rise. If yeast is to be dissolved in the bowl, always warm the bowl first by rinsing with warm water.

- Allow bread to rise in a warm place, 80°F to 85°F, free from draft, unless specified otherwise in recipe.

- Here are some alternative rising methods: (1) Place the bowl of dough on a wire rack over a pan of warm water. (2) Place the bowl on the top rack of an unheated oven over a pan of hot water on the rack below. (3) Turn oven to 400°F for 1 minute, then turn it off; place the bowl on the center rack of the oven and close the door.

- Always cover the bowl with a towel to retain warmth and to protect it from drafts.

- Rising times may vary due to temperature and humidity in your kitchen. Dough has doubled in bulk when indentation marks remain after you press the dough lightly with your fingers.

- Most bread recipes give a range for the amount of flour to be used. Enough flour has been added to the dough when the dough clings to the hook and cleans the sides of bowl. If dough is sticky or humidity is high, slowly add more flour, about ½ cup at a time, NEVER exceeding the recommended flour capacity. Knead after each addition until flour is completely worked into dough. If too much flour is added, a dry loaf will result.

- Some types of dough, especially those made with whole-grain flours, may not form a ball on the hook. However, as long as the hook comes in contact with the dough, kneading will be accomplished.

- Some large recipes and soft doughs may occasionally climb over the collar of the hook. This usually indicates that the dough is sticky and more flour should be added. The sooner all the flour is added, the less likely the dough will climb the hook. For such recipes, try starting with all but the last cup of flour in the initial mixing process. Then add the remaining flour as quickly as possible.

- When done, yeast breads and rolls will be deep golden brown in color. Also, most loaves of bread will have pulled away from the sides of their loaf pans, and tops of done loaves will sound hollow when tapped. Freshly baked loaves and rolls should be turned onto racks immediately after removing from oven to prevent sogginess.

SHAPING A LOAF

1. Divide dough in half. On lightly floured surface, roll each half into a rectangle, approximately 9×14 inches. A rolling pin will smooth dough and remove gas bubbles.

2. Starting at short end, roll dough tightly. Pinch dough to seal seam.

3. Pinch ends and turn under. Place, seam side down, in loaf pan. Follow directions in recipe for rising and baking.

PEACH BREAD

YIELD: 18 SERVINGS (6 SLICES PER LOAF)

- ⅓ **CRISCO® Stick or ⅓ cup CRISCO Shortening, plus more to coat pans**
- 1½ **cups PILLSBURY BEST® All-Purpose Flour, plus more to dust pans**
- ¾ **teaspoon salt**
- ½ **teaspoon baking soda**
- ½ **teaspoon ground cinnamon**
- ½ **teaspoon grated nutmeg**
- ½ **cup sugar**
- 1 **jar (12 ounces) SMUCKER'S® Peach Preserves, divided**
- ½ **teaspoon almond extract**
- ½ **cup buttermilk**
- 2 **eggs**

Preheat oven to 350°F. Coat three 5¾×3×2-inch mini-loaf pans with **Crisco** Shortening; dust with **Pillsbury BEST** Flour; set aside.

Combine 1½ cups **Pillsbury BEST** Flour, salt, baking soda, cinnamon, and nutmeg in medium bowl; set aside. Combine sugar and ⅓ cup **Crisco** Shortening in mixer bowl. Attach bowl and flat beater to mixer. Turn to Speed 6 and beat until fluffy, about 2 minutes. Stop and scrape bowl.

Reserve 3 tablespoons **Smucker's** Preserves in small microwave-safe bowl; set aside. Add remaining **Smucker's** Preserves, almond extract, and buttermilk to mixer bowl. Turn to Speed 2 and mix about 2 minutes. Continuing on Speed 2, add eggs one at a time, mixing about 15 seconds after each addition. Stop and scrape bowl. Turn to Stir Speed and gradually add flour mixture, mixing until well combined, about 1 minute.

Divide batter among prepared pans. Bake for 30 to 35 minutes or until toothpicks inserted into centers come out clean. Cool in pans for 10 minutes; turn out onto cooling racks.

Heat reserved **Smucker's** Preserves in microwave on HIGH for 20 seconds; spread on tops of cooled breads.

PER SERVING: ABOUT 146 CAL, 2 G PRO, 25 G CARB, 4 G FAT, 24 MG CHOL, 147 MG SOD

GOOD AND FRUITY MUFFINS

YIELD: 12 MUFFINS

- 1 **cup uncooked old-fashioned or quick oats**
- ½ **cup PILLSBURY BEST® All-Purpose Flour**
- ½ **cup PILLSBURY® Whole Wheat Flour**
- 1 **cup dark brown sugar, firmly packed**
- 1 **tablespoon baking powder**
- 2 **teaspoons ground cinnamon**
- ¼ **teaspoon salt**

- ⅛ **teaspoon ground cloves**
- ¼ **cup CRISCO® Vegetable Oil***
- 1 **egg**
- 1⅓ **cups SMUCKER'S® Low-Sugar or Sugar-Free Apricot Preserves, divided**
- ½ **cup dried mixed fruit bits (apples, apricots, dates)**
- 1 **cup mashed ripe banana (about 2 medium bananas)**

*Or use your favorite Crisco Oil

Preheat oven to 400°F. Line 12 medium muffin cups with foil or paper liners; set aside.

Combine oats, **Pillsbury BEST** All-Purpose Flour, **Pillsbury** Whole Wheat Flour, brown sugar, baking powder, cinnamon, salt, cloves, and **Crisco** Oil in mixer bowl. Attach bowl and flat beater to mixer. Turn to Stir Speed and mix until coarse crumbs form. Stop mixer and add egg, 1 cup **Smucker's** Preserves, dried fruits, and banana. Gradually turn to Speed 2 and mix just until blended. Fill muffin cups almost full. Bake for 20 to 25 minutes or until toothpick inserted in center comes out clean; cool.

Heat remaining ⅓ cup **Smucker's** Preserves in microwave on HIGH for 20 seconds; spread on top of cooled muffins.

PER SERVING: ABOUT 230 CAL, 3 G PRO, 48 G CARB, 6 G FAT, 18 MG CHOL, 192 MG SOD

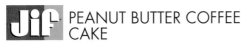

PEANUT BUTTER COFFEE CAKE

YIELD: MAKES 16 SERVINGS

1½ cups packed brown sugar, divided

2½ cups PILLSBURY BEST® All-Purpose Flour, divided

¾ cup JIF® Creamy Peanut Butter, divided

2 tablespoons butter or margarine, melted

2 teaspoons baking powder

½ teaspoon salt

½ teaspoon baking soda

¼ CRISCO® Stick or ¼ cup CRISCO Shortening

2 eggs

1 cup milk

Preheat oven to 375°F. Mix ½ cup brown sugar, ½ cup **Pillsbury BEST** Flour, ¼ cup **Jif** Peanut Butter, and melted butter until crumbly; set aside.

Stir together remaining 2 cups **Pillsbury BEST** Flour, baking powder, baking soda, and salt in a separate bowl; set aside.

Place remaining ½ cup **Jif** Peanut Butter and **Crisco** Shortening in mixer bowl. Attach bowl and flat beater to mixer. Turn to Speed 4 and beat until creamy, about 1 minute. Continuing on Speed 4, gradually beat in remaining 1 cup brown sugar. Stop and scrape bowl.

Turn to Speed 2 and add eggs, one at a time, mixing about 15 seconds after each addition. Turn to Speed 6 and beat until fluffy, about 1 minute. Turn to Speed 2 and add baking powder mixture alternately with milk, beating well after every addition.

Spread batter in a greased 13×9×2-inch baking pan. Top with crumbly mixture. Bake for 30 to 35 minutes or until toothpick inserted in center comes out clean. Cool in pan on wire rack.

PER SERVING: ABOUT 216 CAL, 6 G PRO, 31 G CARB, 8 G FAT, 5 MG CHOL, 204 MG SOD

JiF STRAWBERRIES AND PEANUT BUTTER CREAM CAKE ROLL

YIELD: 10 SERVINGS

CAKE

- ¼ cup powdered sugar
  CRISCO® Shortening
- 1 cup **PILLSBURY BEST®** All-Purpose Flour
- 1 teaspoon baking powder
- ¼ teaspoon salt
- 4 eggs
- 1 cup granulated sugar
- ¼ cup water
- 1 teaspoon vanilla extract

PEANUT BUTTER CREAM FILLING

- 1 package (8 ounces) cream cheese, softened
- 1 cup powdered sugar
- ⅓ cup **JIF®** Extra Crunchy Peanut Butter
- ½ teaspoon almond extract
- 1 cup **SMUCKER'S®** Low-Sugar Strawberry Fruit Spread, divided
  Powdered sugar

Preheat oven to 375°F. Sift ¼ cup powdered sugar over clean large, thin kitchen towel. Coat a 15×10×1-inch jelly roll pan with **Crisco** Shortening. Line pan with waxed paper and coat paper with **Crisco** Shortening. Sift together **Pillsbury BEST** Flour, baking powder, and salt; set aside.

Place eggs in mixer bowl. Attach bowl and wire whip to mixer. Turn to Speed 8 and beat eggs until light and lemon-colored. Reduce to Stir Speed. Gradually add granulated sugar, water, vanilla, and sifted flour mixture; stop and scrape bowl. Turn to Speed 6 and beat one minute more. Pour batter into prepared pan. Bake for 9 to 11 minutes or until

toothpick inserted in center comes out clean. Immediately loosen edges of cake from sides of pan and turn over onto prepared towel. Carefully remove waxed paper. Roll the cake from one narrow end to the other. Cool on wire rack 30 to 40 minutes.

To make **Peanut Butter Cream Filling,** combine cream cheese, 1 cup powdered sugar, **Jif** Peanut Butter, and almond extract in mixer bowl. Attach bowl and flat beater to mixer. Turn to Stir Speed and mix until powdered sugar is incorporated. Turn to Speed 4 and beat until smooth. Unroll cake; spread **Peanut Butter Cream** evenly to edges of cake. Reserve 2 tablespoons of **Smucker's** Fruit Spread in a resealable plastic bag for garnish; spread remaining **Smucker's** Fruit Spread over **Peanut Butter Cream.** Re-roll cake; wrap in plastic wrap and refrigerate several hours before serving. Before serving, sprinkle cake with powdered sugar. Microwave reserved fruit spread on HIGH for 10 seconds; drizzle over powdered sugar.

PER SERVING: ABOUT 420 CAL, 8 G PRO, 67 G CARB, 14 G FAT, 110 MG CHOL, 237 MG SOD

STRAWBERRY CREAM CHEESE BUTTER CRUMB CAKE

Nonstick cooking spray
2¼ cups **PILLSBURY BEST®** All-Purpose Flour
1 cup sugar, divided
¾ cup (1½ sticks) unsalted butter or margarine, cut into small cubes and brought to room temperature
½ teaspoon baking powder
½ teaspoon baking soda
¼ teaspoon salt

¾ cup sour cream
2 eggs, divided
1 teaspoon almond extract
1 package (8 ounces) cream cheese, softened
½ teaspoon grated lemon peel
½ teaspoon vanilla extract
1 jar (18 ounces) **SMUCKER'S®** Strawberry Jam
½ cup sliced almonds

Preheat oven to 350°F. Coat bottom and sides of 10-inch springform pan with cooking spray; set aside.

Combine **Pillsbury BEST** Flour, ¾ cup sugar, and butter in mixer bowl. Attach bowl and flat beater to mixer. Turn to Speed 2 and mix until coarse crumbs form, about 8 minutes. Remove 1 cup crumb mixture from mixer bowl and reserve. To remaining crumb mixture, add baking powder, baking soda, salt, sour cream, 1 egg, and almond extract. Turn to Speed 4 and mix 2 minutes. Stop and scrape bowl; mix one minute more.

Coat back of tablespoon with cooking spray and use it to spread batter over bottom and 1 inch up side of prepared pan. Evenly spray top of batter in the bottom of the pan with a light coating of cooking spray.

Combine cream cheese, remaining ¼ cup sugar, remaining egg, lemon peel, and vanilla in mixer bowl. Attach bowl and flat beater to mixer. Turn to Speed 4 and beat until smooth, stopping once to scrape bowl. Spread over batter in pan.

Spoon **Smucker's** Jam over cream cheese mixture. Combine reserved crumb mixture and almonds; sprinkle over jam.

Bake for 65 to 75 minutes or until cream cheese filling is set and crust is deep golden brown. Cool for 15 minutes. Serve warm or cool.

PER SERVING: ABOUT 500 CAL, 7 G PRO, 64 G CARB, 25 G FAT, 94 MG CHOL, 197 MG SOD

PET. FRUITY COCONUT COFFEECAKES

YIELD: 16 SERVINGS (TWO 8-INCH CAKES)

CAKE

   CRISCO® Shortening
2 cups **PILLSBURY BEST®** All-Purpose Flour
1 teaspoon baking powder
½ teaspoon baking soda
¼ teaspoon salt
1 package (8 ounces) cream cheese, softened
½ cup (1 stick) unsalted butter, softened
1¼ cups sugar
2 eggs
¼ cup **PET® Evaporated Milk**
1 teaspoon vanilla
1 jar (12 ounces) **SMUCKER'S®** Peach, Pineapple or Apricot Preserves

TOPPING

⅔ cup sugar
⅔ cup **PET Evaporated Milk**
¼ cup (½ stick) butter or margarine
1 egg, slightly beaten
1¼ cups sweetened flaked coconut
⅔ cup chopped pecans
1 teaspoon vanilla

Preheat oven to 350°F. Coat 2 (8-inch) cake pans with **Crisco** Shortening. Combine **Pillsbury BEST** Flour, baking powder, baking soda, and salt in a medium bowl; set aside.

Place cream cheese, butter, and sugar in mixer bowl. Attach bowl and flat beater to mixer. Turn to Speed 4 and beat until mixture is light and fluffy. Stop and scrape bowl. Turn to Stir Speed; add eggs one at a time. Stop and scrape bowl. Add ¼ cup **PET** Evaporated Milk and vanilla to bowl. Turn to Stir Speed; gradually add dry ingredients to bowl. Stop and scrape bowl. Turn to Speed 4 and beat just until moistened.

Divide half the batter between prepared cake pans and spread to edges. Spread 6 ounces (½ jar) of **Smucker's** Preserves on batter in each pan. Divide remaining batter between pans, spreading over Smucker's Preserves. Bake for 35 to 40 minutes or until golden brown. Cool in pans on wire racks.

Meanwhile prepare **Topping.** Combine sugar, ⅔ cup **PET** Evaporated Milk, butter, and egg in a 2-quart saucepan over medium heat. Cook, stirring constantly, until mixture thickens and begins to bubble. Remove from heat. Stir in coconut, pecans, and vanilla. Spread over cooled cakes, dividing mixture evenly. Broil 4 inches from heat for 1 to 2 minutes or until golden brown.

PER SERVING: ABOUT 402 CAL, 5 G PRO, 52 G CARB, 20 G FAT, 83 MG CHOL, 199 MG SOD.

PET® PUMPKIN ROLL WITH VANILLA CREAM FILLING AND CARAMEL GLAZE

THE DAIRY GOODNESS PEOPLE

YIELD: 10 SERVINGS

CAKE

CRISCO® Shortening
- ¼ cup powdered sugar
- 1 cup PILLSBURY BEST® All-Purpose Flour
- 2 teaspoons pumpkin pie spice
- ½ teaspoon baking powder
- ½ teaspoon baking soda
- 4 eggs
- ¾ cup granulated sugar
- 1 cup solid-pack pumpkin

FILLING
- ⅔ cup PET® Evaporated Milk

- 3 cups powdered sugar
- ⅔ CRISCO Stick or ⅔ cup CRISCO Shortening
- ½ cup (1 stick) cold unsalted butter
- 1 tablespoon vanilla
  Pinch of salt
- 1½ teaspoons pumpkin pie spice (optional)

TOPPING
SMUCKER'S® Caramel Sundae Syrup
- ¼ cup sliced almonds, toasted*

Preheat oven to 375°F. Sift powdered sugar over large clean thin kitchen towel. Coat 15×10×1-inch jelly roll pan with **Crisco** Shortening; line with waxed paper and coat paper with **Crisco** Shortening. Combine **Pillsbury BEST** Flour, pumpkin pie spice, baking powder, and baking soda in small bowl.

Place eggs in mixer bowl. Attach bowl and wire whip to mixer. Turn to Speed 6, beating eggs until thick. Gradually add sugar and pumpkin. Stop and scrape bowl. Continuing on Stir Speed, gradually add flour mixture and mix until incorporated. Turn to Speed 6 and beat 1 minute more. Spread batter evenly in prepared pan.

Bake for 9 to 12 minutes or until toothpick inserted in center comes out clean. Immediately loosen edges of cake from sides of pan and turn over onto prepared towel. Carefully remove waxed paper. Roll the cake from one narrow end to the other. Cool on wire rack for 30 to 40 minutes.

Meanwhile place all **Filling** ingredients in mixer bowl. Attach bowl and wire whip to mixer. Turn to Stir Speed and mix until powdered sugar is incorporated. Turn to Speed 8 and whip Filling until thick and fluffy, about 10 to 12 minutes. Unroll cake; spread filling evenly to edges of cake. Re-roll cake; wrap in plastic wrap and refrigerate several hours before serving.

To serve, drizzle cake with **Smucker's** Syrup and sprinkle with toasted almonds. Serve slices with additional **Smucker's** Syrup.

*To toast almonds, cook in dry nonstick skillet over medium heat until light brown, constantly shaking pan.

PER SERVING: ABOUT 549 CAL, 6 G PRO, 69 G CARB, 28 G FAT, 115 MG CHOL, 137 MG SOD.

JIF® 'N' CHOCOLATE MINI CHEESECAKES

YIELD: 12 SERVINGS

1 cup finely crushed chocolate-covered graham crackers

1 package (8 ounces) cream cheese, softened

1 package (3 ounces) cream cheese, softened

½ cup sugar

1 teaspoon vanilla extract

½ cup milk

2 eggs

⅓ cup JIF® Creamy Peanut Butter

½ cup semisweet chocolate chips, melted and slightly cooled

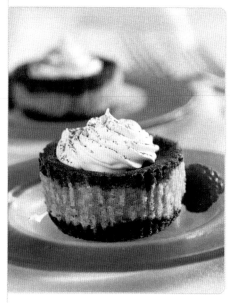

Preheat oven to 325°F. Line 12 regular (2½-inch) muffin cups with paper liners. Spoon about 1 tablespoon crushed graham crackers into each cup, and press flat with bottom of drinking glass; set aside.

Place cream cheese in mixer bowl. Attach bowl and flat beater to mixer. Turn to Speed 4 and beat until smooth, about 2 minutes. Stop and scrape bowl. Add sugar and vanilla. Turn to Speed 6 and beat until smooth and fluffy, about 1 minute. Stop and scrape bowl. Turn to Speed 2 and gradually add milk then eggs, one at a time, beating 15 seconds after each addition. Stop and scrape bowl. Turn to Speed 4 and beat 30 seconds. Remove half of batter to separate bowl.

Add **Jif** Peanut Butter to batter in mixer bowl. Turn to Speed 4 and beat until well blended, about 1 minute. Divide peanut butter batter evenly among prepared muffin cups. Return reserved batter to mixer bowl (do not clean bowl or beater) and add melted chocolate. Turn to Speed 4 and beat until well blended, about 1 minute. Divide evenly among half-filled muffin cups, spreading to cover peanut butter batter.

Bake for 20 to 25 minutes, or until centers are almost set. Cool completely on wire racks. Store covered in refrigerator. Remove paper liners before serving.

PER SERVING: ABOUT 255 CAL, 6 G PRO, 21 G CARB, 18 G FAT, 65 MG CHOL, 151 MG SOD

PEANUT BUTTER SUPREME PIE

YIELD: 8 SERVINGS (ONE 9-INCH PIE)

- 1⅓ cups PILLSBURY BEST® All-Purpose Flour
- ½ teaspoon salt
- ½ CRISCO® Stick or ½ cup CRISCO Shortening, cut into pieces
- 3 tablespoons cold water
- ½ cup plus ⅓ cup chopped peanuts
- 1 cup JIF® Creamy Peanut Butter, divided

- ½ cup powdered sugar
- ½ cup half-and-half
- 1 can (14 ounces) sweetened condensed milk
- 1 cup milk
- 1 package (3.4 ounces) vanilla-flavor instant pudding
  SMUCKER'S® Chocolate Fudge Microwave Topping, heated according to package directions

Place **Pillsbury BEST** Flour and salt in mixer bowl. Attach bowl and flat beater to mixer. Turn to Stir Speed and mix about 15 seconds. Add **Crisco** Shortening; turn to Stir Speed and mix until shortening particles are size of peas. Continue on Stir Speed. Add water, one tablespoon at a time, mixing until dough is moist and begins to hold together. Form dough into ball and flatten; wrap in plastic wrap. Chill for 15 minutes. Roll out pastry crust and fit into a 9-inch pie plate.

Preheat oven to 400°F.

Place ½ cup chopped peanuts, ½ cup **Jif** Peanut Butter, powdered sugar, and half-and-half in mixer bowl. Attach bowl and flat beater to mixer. Gradually turn to Speed 4, beating until well combined. Pour into unbaked pie crust. Bake for 20 to 25 minutes or until crust is golden brown; cool completely.

Meanwhile place remaining ½ cup **Jif** Peanut Butter and sweetened condensed milk in mixer bowl. Attach bowl and flat beater to mixer. Turn to Stir Speed and mix until well blended. Stop and scrape bowl. Add milk and pudding mix. Gradually turn to Speed 4 and beat 2 minutes, stopping to scrape bowl once. Pour over cooled peanut layer and spread to edge of crust. Refrigerate several hours before serving.

To serve, sprinkle with remaining ⅓ cup chopped peanuts and drizzle with warm **Smucker's** Topping.

PER SERVING: ABOUT 789 CAL, 20 G PRO, 83 G CARB, 44 G FAT, 31 MG CHOL, 574 MG SOD

PET THE DAIRY GOODNESS PEOPLE CHOCOLATE-FILLED CREAM PUFFS

YIELD: 12 SERVINGS

1 cup water
½ cup (1 stick) butter
½ teaspoon salt
1 cup PILLSBURY BEST®
   All-Purpose Flour
4 eggs
   Powdered sugar (optional)

1 can (12 ounces) PET®
   Evaporated Milk
1⅓ cups water
2 ounces unsweetened chocolate,
   coarsely chopped
¾ cup semisweet chocolate chips
1 tablespoon vanilla

CHOCOLATE FILLING
¾ cup granulated sugar
⅓ cup cornstarch
½ teaspoon salt

HOT FUDGE SAUCE
½ cup semisweet chocolate chips
⅓ cup PET Evaporated Milk
2 tablespoons granulated sugar

Preheat oven to 400°F.

Heat water, butter, and salt in 1½-quart saucepan over high heat to a full rolling boil. Reduce heat and quickly stir in **Pillsbury BEST** Flour, stirring vigorously with wooden spoon until mixture leaves sides of pan and forms a ball.

Place mixture in mixer bowl. Attach bowl and flat beater to mixer. Turn to Speed 2 and add eggs, one at a time, beating 30 seconds after each addition. Stop and scrape bowl. Turn to Speed 4 and beat 15 seconds.

Drop scant ¼ cupfuls of dough into 12 mounds 2 inches apart on greased cookie sheets. Bake for 30 to 35 minutes or until golden brown and puffy. Cool slightly on wire racks, then slice in half horizontally with a serrated knife. Scrape insides of puffs gently with fork to remove any soft dough, then cool completely on wire racks.

Meanwhile, prepare **Chocolate Filling.** Combine granulated sugar, cornstarch, and salt in large saucepan. Gradually stir in **PET** Evaporated Milk and water. Add unsweetened chocolate. Cook and stir over medium heat until mixture is very thick and chocolate has melted completely, frequently scraping bottom of pan with flat spatula. Bring to a simmer and simmer for 1 full minute, stirring constantly. Remove from heat and stir in chocolate chips and vanilla. Stir until chocolate chips have melted completely. Pour into medium bowl and cover; refrigerate at least 4 hours or overnight.

Meanwhile, prepare **Hot Fudge Sauce.** Place all ingredients in heavy saucepan over low heat. Cook, stirring constantly, until chocolate melts completely.

To serve, fill bottom halves of cream puffs with about ⅓ cup **Chocolate Filling,** place cream puff tops on filling. Lightly dust with powdered sugar (if desired), then drizzle with **Hot Fudge Sauce.**

PER SERVING: ABOUT 363 CAL, 7 G PRO, 42 G CARB, 20 G FAT, 102 MG CHOL, 36 MG SOD

PET. CHOCOLATE SILK PIE

THE DAIRY GOODNESS PEOPLE

YIELD: 8 SERVINGS

1½ cups sugar

3 tablespoons unsweetened cocoa powder

3 eggs

⅔ cup PET® Evaporated Milk

½ cup (1 stick) butter or margarine, melted

1 teaspoon vanilla

1 unbaked (9-inch) deep-dish pie crust (see KitchenAid Pie Pastry, page 82)

Whipped topping (optional)

Preheat oven to 350°F. Place ungreased baking sheet in oven to preheat.

Place sugar and cocoa powder in mixer bowl. Attach bowl and wire whip to mixer. Turn to Stir Speed and mix to combine, about 15 seconds. Continuing on Stir Speed, gradually add eggs, **PET** Evaporated Milk, melted butter, and vanilla and mix until well blended, about 1 minute. Stop and scrape bowl. Turn to Speed 6 and whip until smooth and slightly thickened, about 2 minutes.

Pour into prepared crust. Place pie plate on preheated baking sheet and bake for 55 to 60 minutes or until center puffs and pie has set. Cool completely on wire rack. Garnish with whipped topping, if desired.

PER SERVING: ABOUT 566 CAL, 8 G PRO, 21 G CARB, 30 G FAT, 124 MG CHOL, 370 MG SOD

FLOURLESS RASPBERRY MOCHA CAKE WITH CRÈME CHANTILLY

YIELD: 8 SERVINGS

Nonstick cooking spray
1 teaspoon instant espresso powder or freeze-dried coffee crystals
1 tablespoon water
1 package (16 ounces) semi-sweet chocolate chips
½ cup (1 stick) unsalted butter

¼ cup granulated sugar
4 eggs at room temperature, separated
1 cup cold whipping cream
½ teaspoon vanilla extract
2 tablespoons powdered sugar
½ cup SMUCKER'S® Seedless Raspberry Jam

Preheat oven to 350°F. Coat bottom and sides of 8-inch springform pan with cooking spray; set aside.

Dissolve espresso powder in water, stirring to combine; set aside.

Melt chocolate chips and butter in medium saucepan over medium heat. Stir until well combined then remove from heat. Add sugar. Beat in egg yolks, one at a time, with wooden spoon. Stir in espresso and water mixture; mix well.

Place room-temperature egg whites in clean dry mixer bowl. Attach bowl and wire whip to mixer. Gradually turn mixer to Speed 8. Whip until stiff peaks form. Stop mixer and remove bowl. Fold in ⅓ of chocolate mixture at a time with large rubber spatula, mixing gently until no white streaks remain. Pour batter into prepared pan and smooth top. Bake for 27 to 33 minutes or until edges puff; cool on wire rack for 30 minutes. Cover and chill.

To make **Crème Chantilly,** pour cold whipping cream and vanilla into chilled mixer bowl. Attach bowl and wire whip to mixer. Gradually turn mixer to Speed 8. Add powdered sugar and whip until cream stands in stiff sharp peaks when wire whip is removed.

Just before serving, place **Smucker's** Jam in a resealable plastic bag. Heat in microwave on HIGH for 10 seconds, then knead bag; repeat until jam is warm. Cut corner off plastic bag and drizzle melted jam over each serving; serve garnished with **Crème Chantilly.**

PER SERVING: ABOUT 601 CAL, 6 G PRO, 58 G CARB, 43 G FAT, 179 MG CHOL, 54 MG SOD

KITCHENAID PIE PASTRY

2¼ cups all-purpose flour
¾ teaspoon salt
½ cup shortening, well chilled

2 tablespoons butter or margarine, well chilled
5 to 6 tablespoons cold water

Place flour and salt in mixer bowl. Attach bowl and flat beater to mixer. Turn to Stir Speed and mix about 15 seconds. Cut shortening and butter into pieces and add to flour mixture. Turn to Stir Speed and mix until shortening particles are size of small peas, 30 to 45 seconds.

Continuing on Stir Speed, add water, 1 tablespoon at a time, mixing until ingredients are moistened and dough begins to hold together. Divide dough in half. Pat each half into a smooth ball and flatten slightly. Wrap in plastic wrap. Chill in refrigerator 15 minutes.

Roll one half of dough to ⅛ inch thickness between sheets of waxed paper. Fold pastry into quarters. Ease into 8- or 9-inch pie plate and unfold, pressing firmly against bottom and sides.

For One-Crust Pie: Fold edge under. Crimp as desired. Add desired pie filling. Bake as directed.

For Two-Crust Pie: Trim pastry even with edge of pie plate. Using second half of dough, roll out another pastry crust. Add desired pie filling. Top with second pastry crust. Seal edge. Crimp as desired. Cut slits for steam to escape. Bake as directed.

For Baked Pastry Shell: Fold edge under. Crimp as desired. Prick sides and bottom with fork. Bake at 450°F for 8 to 10 minutes, or until lightly browned. Cool completely on wire rack and fill.

Alternate Method for Baked Pastry Shell: Fold edge under. Crimp as desired. Line shell with foil. Fill with pie weights or dried beans. Bake at 450°F for 10 to 12 minutes, or until edges are lightly browned. Remove pie weights and foil. Cool completely on wire rack and fill.

PER SERVING (ONE CRUST): ABOUT 134 CAL, 2 G PRO, 13 G CARB, 8 G FAT, 0 MG CHOL, 118 MG SOD

PER SERVING (TWO CRUSTS): ABOUT 267 CAL, 4 G PRO, 27 G CARB, 16 G FAT, 0 MG CHOL, 236 MG SOD

PEANUT BUTTER SECRETS

YIELD: 3 DOZEN COOKIES

- 1 **CRISCO® Butter Flavor Stick or 1 cup CRISCO Butter Flavor Shortening,** plus more to grease baking sheets
- ¾ cup brown sugar, firmly packed
- ½ cup granulated sugar
- ½ cup **JIF® Creamy Peanut Butter**
- 1 egg
- 1 teaspoon vanilla extract
- 2 cups **PILLSBURY BEST® All-Purpose Flour**

- 1 teaspoon baking soda
- ½ teaspoon salt
- 1 package (13 ounces) miniature chocolate-covered peanut butter cups

PEANUT BUTTER GLAZE

- 1 teaspoon **CRISCO Butter Flavor Shortening**
- 1 cup semisweet chocolate chips
- 2 tablespoons **JIF Creamy Peanut Butter**

Preheat oven to 375°F. Coat baking sheet with **Crisco** Shortening; set aside.

Place **Crisco** Shortening, brown sugar, granulated sugar, and **Jif** Peanut Butter in mixer bowl. Attach bowl and flat beater to mixer. Gradually turn to Speed 4; mix until well blended. Scrape bowl, and then add egg and vanilla. Beat 1 minute more at Speed 4. Combine **Pillsbury BEST** Flour, baking soda, and salt. Turn mixer to Stir Speed; gradually add dry ingredients and mix just until blended.

Form rounded teaspoonfuls of dough around each miniature peanut butter cup, encasing candy completely. Place 2 inches apart on prepared cookie sheets. Bake for 8 to 10 minutes or until cookies are light brown. Remove cookies to cooling rack.

For **Peanut Butter Glaze,** combine **Crisco** Shortening, chocolate chips, and **Jif** Peanut Butter in microwave-safe cup. Microwave on MEDIUM for 1 minute, then stir. Repeat until smooth (or melt in small saucepan over low heat, stirring frequently). Spoon over cookies and spread while warm.

PER COOKIE: ABOUT 211 CAL, 3 G PRO, 22 G CARB, 12 G FAT, 6 MG CHOL, 124 MG SOD

COOKIES, BARS, AND CANDIES

SMUCKER'S

LEMON RASPBERRY CHEESECAKE SQUARES

YIELD: 32 BARS

CRUST

- ¾ **CRISCO® Butter Flavor Stick or** ¾ **cup CRISCO Butter Flavor Shortening, plus more to coat pan**
- ⅓ cup brown sugar, firmly packed
- 1¼ cups **PILLSBURY BEST®** All-Purpose Flour
- 1 cup uncooked quick or old-fashioned oats
- ¼ teaspoon salt

FILLING

- 1 jar (12 ounces) **SMUCKER'S®** Seedless Red Raspberry Jam
- 2 packages (8 ounces each) cream cheese, softened
- ¾ cup granulated sugar
- 2 tablespoons PILLSBURY BEST All-Purpose Flour
- 2 eggs
- 3 tablespoons lemon juice
- 2 teaspoons grated lemon peel

Preheat oven to 350°F. Coat 13×9×2-inch baking pan with **Crisco** Shortening; set aside.

To make **Crust,** place ¾ cup **Crisco** Shortening and brown sugar in mixer bowl. Attach bowl and flat beater to mixer. Turn to Speed 4 and beat until creamy, about 1 minute. Stop and scrape bowl. Turn to Stir Speed and gradually add 1¼ cups **Pillsbury BEST** Flour, oats and salt, mixing until well blended, about 1 minute. Press into bottom of prepared pan. Bake for 20 minutes or until evenly browned. Remove from oven and immediately spread **Smucker's** Jam evenly over hot crust; set aside.

To make **Filling,** place cream cheese, granulated sugar, and 2 tablespoons **Pillsbury BEST** Flour in mixer bowl. Attach bowl and flat beater to mixer. Turn to Speed 6 and beat until smooth, about 1 minute. Stop and scrape bowl. Turn to Speed 2 and add eggs, one at a time, beating about 15 seconds after each addition. Stop and scrape bowl. Add lemon juice and peel. Turn to Speed 4 and beat until well blended, about 1 minute. Pour mixture over **Smucker's** Jam layer. Bake at 350°F for 25 minutes or until set. Cool to room temperature in pan on wire rack.

PER SERVING: 165 CAL, 2 G PRO, 17 G CARB, 10 G FAT, 29 MG CHOL, 66 MG SOD

ORANGE MARMALADE COOKIES

YIELD: 5 DOZEN COOKIES

2 cups granulated sugar	1 teaspoon grated orange peel
½ cup CRISCO Butter Flavor Shortening	½ teaspoon salt
2 eggs	
1 cup sour cream	**FROSTING**
½ cup SMUCKER'S® Sweet Orange Marmalade	3 cups powdered sugar
4 cups PILLSBURY BEST® All-Purpose Flour	½ cup (1 stick) butter or margarine, softened
2 teaspoons baking powder	¼ cup SMUCKER'S Sweet Orange Marmalade
1 teaspoon baking soda	Orange juice

Preheat oven to 400°F.

Combine sugar, **Crisco** Shortening, and eggs in mixer bowl. Attach bowl and flat beater to mixer. Turn to Speed 4 and beat until well blended. Stop mixer and add sour cream and ½ cup **Smucker's** Marmalade; turn to Speed 4 and mix until blended. Stop and scrape bowl. Combine **Pillsbury BEST** Flour, baking powder, baking soda, peel, and salt in separate bowl. Turn mixer to Stir Speed and gradually add dry ingredients. Stop mixer and scrape bowl. Turn to Speed 4 and beat until well blended. Chill dough 1 hour. Drop by rounded teaspoonfuls onto greased baking sheets. Bake for 8 to 10 minutes; cool on rack.

To make **Frosting,** combine powdered sugar, butter, and ¼ cup **Smucker's** Marmalade in mixer bowl. Attach bowl and flat beater to mixer. Turn to Stir Speed; mix until blended. Stop and scrape bowl. Continuing on Stir Speed, add orange juice, 1 teaspoon at a time, until frosting reaches spreading consistency. Turn to Speed 4 and beat about 1 minute, or until smooth. Spread on cooled cookies.

PER SERVING: 126 CAL, 1 G PRO, 22 G CARB, 4 G FAT, 13 MG CHOL, 74 MG SOD

JIF IRRESISTIBLE PEANUT BUTTER COOKIES

YIELD: 3 DOZEN COOKIES

- 1¾ cups PILLSBURY BEST® All-Purpose Flour
- ¾ teaspoon salt
- ¾ teaspoon baking soda
- ¾ cup JIF® Creamy Peanut Butter
- ½ CRISCO® Stick or ½ cup CRISCO Shortening
- 1¼ cups light brown sugar, firmly packed
- 3 tablespoons milk
- 1 tablespoon vanilla extract
- 1 egg

Preheat oven to 375°F. Combine **Pillsbury BEST** Flour, salt, and baking soda in small bowl; set aside.

Place **Jif** Peanut Butter, **Crisco** Shortening, brown sugar, milk, and vanilla in mixer bowl. Attach bowl and flat beater to mixer. Turn to Speed 2 and mix until well blended, about 1 minute. Stop and scrape bowl. Add egg. Turn to Speed 2 and beat just until blended, about 30 seconds.

Turn to Stir Speed and gradually add flour mixture, mixing just until blended.

Drop by teaspoonfuls 2 inches apart onto ungreased baking sheets. Flatten slightly with back of fork in crisscross pattern. Bake for 7 to 8 minutes or until set and lightly browned.

PER COOKIE: ABOUT 111 CAL, 2 G PRO, 13 G CARB, 6 G FAT, 6 MG CHOL, 105 MG SOD

FROSTED OATMEAL RAISIN COOKIES

YIELD: 4 DOZEN COOKIES

- 1 **CRISCO® Butter Flavor Stick or 1 cup CRISCO Butter Flavor Shortening,** plus more to coat cookie sheets
- 2 cups **PILLSBURY BEST® All-Purpose Flour**
- 1 teaspoon baking soda
- ½ teaspoon ground cloves
- ¼ teaspoon salt
- ¼ teaspoon ground cinnamon
- ¼ teaspoon grated nutmeg
- 1 cup brown sugar, firmly packed
- 1 teaspoon vanilla

- 2 eggs
- ⅔ cup **PET® Evaporated Milk**
- 1 teaspoon instant espresso powder or instant coffee crystals
- 1 cup raisins
- 1 cup quick-cooking oats, uncooked

  Special Coffee Frosting (recipe follows)

Preheat oven to 350°F. Coat cookie sheets with **Crisco** Shortening. Combine **Pillsbury BEST** Flour, baking soda, cloves, salt, cinnamon, and nutmeg in a medium bowl; set aside.

Combine 1 cup **Crisco** Shortening, brown sugar, and vanilla in mixer bowl. Attach bowl and flat beater to mixer. Turn to Speed 4 and beat until light and fluffy. Stop and scrape bowl. Turn to Stir Speed and add eggs one at a time. Stop and scrape bowl.

Stir together **PET** Evaporated Milk and instant espresso powder in small bowl until coffee is completely dissolved.

Turn mixer to Stir Speed. Alternately add **PET** Evaporated Milk mixture and flour mixture to mixer bowl. Stop and scrape bowl. Turn to Speed 4 and beat for 1 minute. Return mixer to Stir Speed; add raisins and oatmeal and mix until well combined, about 1 minute.

Drop batter by heaping teaspoonfuls onto prepared cookie sheets. Bake for 9 to 11 minutes or until lightly browned. Cool cookies completely; frost with **Special Coffee Frosting.**

SPECIAL COFFEE FROSTING

- ¼ cup **PET® Evaporated Milk**
- 1 teaspoon instant espresso powder or instant coffee crystals
- 2¼ cups powdered sugar

- ¼ cup (½ stick) butter or margarine, softened
- 1 teaspoon vanilla
- ¾ teaspoon ground cinnamon

Stir together **PET** Evaporated Milk and instant espresso powder in mixer bowl until coffee is completely dissolved. Add remaining ingredients to mixer bowl. Attach bowl and flat beater to mixer. Turn to Speed 4 and beat until ingredients are combined. Stop and scrape bowl. Turn to Speed 4 and beat 1 minute more or until desired consistency.

PER SERVING: 129 CAL, 1 G PRO, 18 G CARB, 6 G FAT, 13 MG CHOL, 56 MG SOD

TARTELETTES AUX CHAMPIGNONS ET AUX OIGNONS

DONNE: 24 TARTELETTES

- 4 oz de fromage à la crème léger
- 3 c. à soupe de beurre ou margarine, divisé
- ¾ tasse plus 1 c. à thé de farine tout-usage
- 8 oz de champignons frais, hachés gros

- ½ tasse d'oignons verts hachés
- 1 œuf
- ¼ c. à thé de feuilles de thym séchées
- ½ tasse de fromage suisse râpé

Mettre le fromage à la crème et 2 c. à soupe de beurre dans le bol du batteur. Fixer le bol et le fouet plat au batteur. Régler à la vitesse 4 et battre pendant environ 1 minute. Arrêter le batteur et racler le bol. Ajouter ¾ tasse de farine. Régler à la vitesse 2 et battre environ 1 minute ou jusqu'à l'obtention d'un mélange homogène. Former une boule avec le mélange. Envelopper de papier ciré et laisser refroidir 1 heure. Nettoyer le bol du batteur et le fouet.

Diviser la pâte refroidie en 24 morceaux. Écraser chaque morceau dans un moule à muffins miniatures (graissé, si désiré).

Entre temps, faire fondre le reste du beurre (1 c. à soupe) dans une poêle de 10 po sur feu moyen. Ajouter les champignons et les oignons. Faire cuire en brassant jusqu'à ce qu'ils soient tendres. Retirer du feu et laisser refroidir légèrement.

Placer l'œuf, le reste de la farine (1 c. à soupe) et le thym dans le bol du batteur. Fixer le bol et le fouet plat au batteur. Régler à la vitesse 6 et battre pendant environ 30 secondes. Incorporer le fromage et le mélange de champignons refroidi. À la cuillère, déposer le mélange dans les moules à muffins garnis de pâte à tarte. Faire cuire au four à 375°F de 15 à 20 minutes ou jusqu'à ce que le mélange d'œufs soit gonflé et doré. Servir chaud.

PAR PORTION: (2 TARTELETTES) ENVIRON 98 CALORIES, 4 G DE PROTÉINES, 8 G DE GLUCIDES, 6 G DE MATIÈRES GRASSES, 33 MG DE CHOLESTÉROL, 83 MG DE SODIUM

NOUILLES AUX ŒUFS DE BASE

DONNE: 1 1/4 LB DE PÂTE

4 gros œufs (7/8 tasse d'œufs)
1 c. à soupe d'eau

3 1/2 tasses de farine tout-usage tamisée

Mettre les œufs, l'eau et la farine dans le bol du batteur. Fixer le bol et le fouet plat au batteur. Régler à la vitesse 2 et mélanger pendant 30 secondes.

Retirer le fouet plat et installer le crochet pétrisseur. Régler à la vitesse 2 et pétrir pendant 2 minutes.

Pétrir la pâte à la main de 30 secondes à 1 minute. Couvrir avec une serviette sèche et laisser reposer 15 minutes avant de passer à la machine à pâtes, aux rouleaux à pâtes ou avant de la rouler et la couper à la main.

PAR PORTION : ENVIRON 94 CALORIES, 4 G DE PROTÉINES, 17 G DE GLUCIDES, 1 G DE MATIÈRES GRASSES, 42 MG DE CHOLESTÉROL, 14 MG DE SODIUM.

CONSEIL : *Pour faire cuire les pâtes,* ajouter 1 c. à soupe de sel et 1 c. à soupe d'huile à 6 litres d'eau. Ajouter les pâtes graduellement et laisser bouillir légèrement jusqu'à ce qu'elles soient « al dente » ou fermes sous la dent. Comme les pâtes remontent à la surface en cuisant, remuer occasionnellement pour favoriser la cuisson uniforme. Après la cuisson, égoutter les pâtes à l'aide d'une passoire.

Pour les spaghettis, les nouilles plates et les macaronis, faire cuire toute la recette tel qu'indiqué ci-dessus.

Pour les lasagnes, faire cuire la moitié de la recette à la fois.

FOR THE WAY IT'S MADE.™

PAIN BLANC À LEVÉE RAPIDE À FROID

DONNE : 32 PORTIONS (16 TRANCHES PAR PAIN).

Pain blanc à levée rapide à froid

6 à 7 tasses de farine tout-usage

2 c. à sour de sucre

3½ c. à thé de sel

3 paquets de levure sèche active

¼ tasse de beurre ou margarine, ramolli

2 tasses d'eau très chaude (120ºF à 130ºF)

Mettre 5½ tasses de farine, le sucre, le sel, la levure et le beurre dans le bol du batteur. Fixer le bol et le crochet pétrisseur au batteur. Régler à la vitesse 2 et mélanger pendant environ 20 secondes. Ajouter graduellement l'eau chaude et mélanger pendant environ 1½ minute supplémentaire.

Toujours à la vitesse 2, ajouter le reste de la farine, ½ tasse à la fois, et mélanger jusqu'à ce que la pâte colle au crochet et se détache complètement des parois du bol, soit environ 2 minutes de plus. Pétrir à la vitesse 2 environ 2 minutes de plus.

Couvrir la pâte d'une pellicule de plastique et d'une serviette. Laisser reposer 20 minutes.

Séparer la pâte en deux. Façonner chaque moitié en pain selon les directives de la page 95. Déposer dans des moules à pain graissés de 8½×4½×2½ po. Au pincer, étaler de l'huile sur chaque pain et les couvrir sans serrer d'une pellicule de plastique. Réfrigérer de 2 à 12 heures.

Lorsque la pâte est prête pour la cuisson, la découvrir avec soin. Laisser reposer à température ambiante pendant 10 minutes. Piquer les bulles d'air qui ont pu se former. Faire cuire à 400º F de 35 à 40 minutes. Démouler immédiatement et laisser refroidir sur des grilles.

PAR PORTION : ENVIRON 110 CALORIES, 3 G DE PROTÉINES, 21 G DE GLUCIDES, 2 G DE MATIÈRES GRASSES, 0 MG DE CHOLESTÉROL, 251 MG DE SODIUM.

Directives générales pour faire et pétrir de la pâte à la levure avec la méthode pour une levée rapide

Avec la méthode pour une levée rapide, la levure sèche est mélangée aux autres ingrédients secs avant que le liquide soit ajouté, contrairement à la méthode traditionnelle qui nécessite la dissolution de la levure dans un liquide chaud.

1. Mettre la levure et les autres ingrédients secs, sauf 1 à 2 tasses de farine, dans le bol du batteur.

2. Fixer le bol et le crochet pétrisseur au batteur. Régler à la vitesse 2 et bien mélanger les ingrédients secs, soit environ 15 secondes.

3. Toujours à la vitesse 2, ajouter graduellement* les ingrédients liquides à la préparation de farine et mélanger 1 à 2 minutes supplémentaires.

4. À la vitesse 2, incorporer le reste de la farine, ½ tasse à la fois, jusqu'à ce que la pâte prenne forme. Mélanger jusqu'à ce que la pâte colle au crochet et se détache complètement des parois du bol, soit environ 2 minutes.

5. Lorsque la pâte colle au crochet, pétrir à la vitesse 2 jusqu'à ce qu'elle soit lisse et élastique, environ 2 minutes.

6. Détacher le crochet pétrisseur et le bol du batteur, puis décoller la pâte du crochet et du bol. Suivre les directives de la recette pour faire lever, façonner et faire cuire le pain.

__Remarque:__ Si les ingrédients liquides sont ajoutés trop rapidement à l'étape 3, ils s'accumuleront autour du crochet pétrisseur et ralentiront le pétrissage.

CONSEIL : La méthode pour une levée rapide peut être plus facile et rapide pour ceux qui ont moins d'expérience à faire du pain. Comme la levure est mélangée aux ingrédients secs plutôt qu'à un liquide chaud, elle supporte mieux la température.

PÂTE À PIZZA CROUSTILLANTE

DONNE: 4 PORTIONS (1/4 PIZZA PAR PORTION)

1 **paquet de levure sèche active**	2 **c. à thé d'huile d'olive**
1 **tasse d'eau chaude (105°F à 115°F)**	2½ **à 3½ tasses de farine tout-usage**
½ **c. à thé de sel**	1 **c. à soupe de semoule de maïs**

Dissoudre la levure dans l'eau chaude dans le bol réchauffé du batteur. Ajouter le sel, l'huile d'olive et 2½ tasses de farine. Fixer le bol et le crochet pétrisseur au batteur. Régler à la vitesse 2 et mélanger environ 1 minute.

Continuer à la vitesse 2, ajouter le reste de la farine, ½ tasse à la fois, et mélanger environ 2 minutes ou jusqu'à ce que la pâte colle au crochet et se détache complètement des parois du bol. Pétrir à la vitesse 2 environ 2 minutes de plus.

Mettre la pâte dans un bol graissé, en la tournant pour en graisser le dessus. Couvrir. Laisser lever dans un endroit chaud, à l'abri des courants d'air, environ 1 heure ou jusqu'à ce qu'elle double de volume. Enfoncer fermement le poing dans la pâte.

Au pinceau, étaler de l'huile dans une assiette à pizza de 14 po. Saupoudrer de semoule de maïs. Enfoncer la pâte dans le fond de l'assiette, en formant un col autour du bord pour retenir les garnitures. Ajouter les garnitures au goût. Faire cuire au four à 450°F de 15 à 20 minutes.

PAR PORTION : ENVIRON 373 CALORIES, 11 G DE PROTÉINES, 74 G DE GLUCIDES, 3 G DE MATIÈRES GRASSES, 0 MG DE CHOLESTÉROL, 271 MG DE SODIUM.

PAIN DE BLÉ ENTIER

⅓ **tasse plus 1 c. à soupe de cassonade, divisée**

2 **tasses d'eau chaude (105°F à 115°F)**

2 **paquets de levure sèche active**

5 **à 6 tasses de farine de blé entier**

¾ **tasse de lait en poudre**

2 **c. à thé de sel**

⅓ **tasse d'huile**

Dissoudre 1 c. à soupe de cassonade dans l'eau chaude dans un petit bol. Ajouter la levure et laisser le mélange reposer.

Mettre 4 tasses de farine, le lait en poudre, ⅓ tasse de cassonade et le sel dans le bol du batteur. Fixer le bol et le crochet pétrisseur au batteur. Régler à la vitesse 2 et mélanger pendant environ 15 secondes. Continuer à la vitesse 2, ajouter graduellement le mélange de levure et l'huile à la farine et battre environ 1½ minute de plus. Arrêter le batteur et racler le bol, au besoin.

Continuer à la vitesse 2, ajouter le reste de la farine, ½ tasse à la fois, et mélanger environ 2 minutes ou jusqu'à ce que la pâte colle au crochet* et se décolle des parois du bol. Pétrir à la vitesse 2 environ 2 minutes de plus.

Placer la pâte dans un bol graissé, en la tournant pour en graisser le dessus. Couvrir. Laisser lever dans un endroit chaud, à l'abri des courants d'air, environ 1 heure ou jusqu'à ce qu'elle double de volume

Enfoncer fermement le poing dans la pâte et la couper en deux. Former chaque moitié en un pain, selon les directives de la page 95. Placer dans un moule graissé de 8½×4½×2½ po. Couvrir. Laisser lever dans un endroit chaud, à l'abri des courants d'air, environ 1 heure ou jusqu'à ce que la pâte ait doublé de volume.

Faire cuire au four à 400°F pendant 15 minutes. Réduire la température du four à 350°F et faire cuire 30 minutes de plus. Démouler immédiatement et laisser refroidir sur des grilles.

PAR PORTION : ENVIRON 112 CALORIES, 4 G DE PROTÉINES, 19 G DE GLUCIDES, 3 G DE MATIÈRES GRASSES, 2 MG DE CHOLESTÉROL, 146 MG DE SODIUM.

*__*Remarque:__ Il se peut que la pâte ne forme pas de boule sur le crochet. Cependant, en autant que le crochet est en contact avec la pâte, elle sera pétrie. Ne pas ajouter plus que la quantité maximale de farine spécifiée sinon le pain sera trop sec.*

CONSEILS POUR FAIRE DU PAIN

Faire du pain avec un batteur sur socle est très différent de faire du pain à la main. Par conséquent, il vous faudra de la pratique avant de bien vous familiariser avec la nouvelle méthode. Pour vous aider, nous vous offrons ces conseils pour vous habituer à faire du pain à la méthode de KitchenAid.

- Commencer avec une recette simple, comme celle du pain blanc à levée rapide à froid (page 90) pour vous familiariser avec le crochet pétrisseur.

- TOUJOURS utiliser le crochet pétrisseur pour mélanger et pétrir la pâte à la levure.

- Ne JAMAIS dépasser la vitesse 2 lorsque vous utilisez le crochet pétrisseur.

- Ne JAMAIS faire de recettes demandant plus de 8 tasses de farine tout-usage ou 6 tasses de farine de blé entier lorsque vous faites une pâte avec un batteur de 4½ litres.

- Ne JAMAIS faire de recettes demandant plus de 10 tasses de farine tout-usage ou 6 tasses de farine de blé entier lorsque vous faites une pâte avec un batteur de 5 litres.

- Ne JAMAIS faire de recettes demandant plus de 12 tasses de farine tout-usage ou 8 tasses de farine de blé entier lorsque vous faites une pâte avec un batteur de 6 litres.

- Utiliser un thermomètre à sirop ou tout autre thermomètre de cuisine pour s'assurer que les liquides sont à la température demandée pour la recette. Les liquides à température plus élevée peuvent tuer la levure, tandis que les liquides à température plus basse retardent la croissance de la levure.

- Réchauffer tous les ingrédients à température ambiante pour que la pâte lève bien. Si la levure doit être dissoute dans le bol, toujours réchauffer le bol avant en le rinçant à l'eau chaude.

- Laisser lever le pain dans un endroit chaud, à une température entre 80°F et 85°F, à l'abri des courants d'air, à moins de directives contraires dans la recette.

- Voici d'autres méthodes pour faire lever la pâte : (1) Placer le bol contenant la pâte sur une grille au-dessus d'une casserole d'eau chaude. (2) Placer le bol sur la grille supérieure du four non chauffé ; placer une casserole d'eau chaude sur la grille juste en dessous. (3) Allumer le four à 400°F pendant 1 minute puis l'éteindre ; placer le bol sur la grille du milieu et fermer la porte du four.

- Toujours couvrir le bol d'une serviette pour retenir la chaleur et protéger la pâte des courants d'air.

- Le temps de levée peut varier selon la température et l'humidité de la cuisine. S'il reste une marque après avoir appuyé légèrement et rapidement du bout du doigt sur la pâte, elle a doublé de volume.

- La plupart des recettes indiquent une variation pour la quantité de farine à utiliser. Lorsque la pâte colle au crochet et se détache des parois du bol, il y a assez de farine. Si la pâte est collante ou le taux d'humidité est élevé, ajouter graduellement de la farine (environ ½ tasse à la fois), mais ne JAMAIS dépasser la capacité de farine recommandée. Pétrir après chaque ajout jusqu'à ce que la farine soit bien incorporée à la pâte. Si vous ajoutez trop de farine, le pain sera sec.

- Certaines sortes de pâtes, notamment celles faites avec de la farine de grains entiers, ne formeront peut-être pas de boule sur le crochet. Cependant, en autant que le crochet est en contact avec la pâte, elle sera pétrie.

- Certaines grosses recettes et les pâtes molles peuvent à l'occasion monter sur la tige du crochet. En général, c'est que la pâte est trop collante et vous devez ajouter davantage de farine. Le plus rapidement toute la farine sera ajoutée, le moins susceptible sera la pâte de monter au haut du crochet. Pour de telles recettes, essayer de mettre toute la farine au début, à l'exception d'une tasse, puis ajouter le reste le plus rapidement possible.

- Une fois cuits, les pains et petits pains à la levure seront bruns doré. En tapant sur le dessus du pain, vous devriez entendre un son creux et le pain devrait se démouler facilement. Renverser les pains et petits pains sur une grille immédiatement après la cuisson pour éviter qu'ils se ramollissent.

CONSEILS POUR FAÇONNER UN PAIN

1. Diviser la pâte en deux. Sur une surface légèrement farinée, rouler chaque moitié en un rectangle d'environ 9×14 po. Un rouleau à pâtisserie lisse la pâte et fait sortir les bulles d'air.

2. En commençant à un bout, rouler la pâte serrée. Pincer pour souder les joints.

3. Pincer les bouts et les retourner. Placer la pâte dans un moule à pain, les joints en dessous. Suivre les directives de la recette pour la levée et la cuisson de la pâte.

⟨SMUCKER'S⟩ DÉLICIEUX MUFFINS AUX FRUITS

DONNE: 12 MUFFINS

- 1 tasse d'avoine à l'ancienne ou à cuisson rapide
- ½ tasse de farine tout-usage **PILLSBURY BEST®**
- ½ tasse de farine de blé entier **PILLSBURY®**
- 1 tasse de cassonade foncée, bien tassée
- 1 c. à soupe de levure chimique
- 2 c. à thé de cannelle moulue
- ¼ c. à thé de sel
- ⅛ c. à thé de clou de girofle moulu

- ¼ tasse d'huile végétale* **CRISCO®**
- 1 œuf
- 1⅓ tasse de tartinade aux abricots à teneur réduite en sucre ou sans sucre **SMUCKER'S®**, divisée
- ½ tasse de morceaux de fruits séchés mélangés (pommes, abricots, dattes)
- 1 tasse de bananes mûres écrasées (environ 2 bananes moyennes)

Ou utilisez votre huile Crisco préférée

Préchauffer le four à 400°F. Tapisser 12 moules à muffins moyens de papier d'aluminium ou de moules en papier ; mettre de côté.

Combiner l'avoine, la farine tout-usage **Pillsbury BEST,** la farine de blé entier **Pillsbury,** la cassonade, la levure chimique, la cannelle, le sel, le clou de girofle et l'huile **Crisco** dans le bol du batteur. Fixer le bol et le fouet plat au batteur. Régler à la vitesse de brassage et mélanger jusqu'à l'obtention d'un mélange granuleux. Arrêter le batteur et ajouter l'œuf, 1 tasse de tartinade **Smucker's**, les fruits séchés et les bananes. Régler graduellement à la vitesse 2 et bien mélanger. Remplir les moules à muffins presque entièrement. Faire cuire de 20 à 25 minutes ou jusqu'à ce qu'un cure-dent inséré au centre en sorte propre ; laisser refroidir.

Faire chauffer le reste de la tartinade **Smucker's** (⅓ tasse) au four à micro-ondes à puissance ÉLEVÉE pendant 20 secondes ; étaler sur le dessus des muffins refroidis.

PAR PORTION: ENVIRON 230 CALORIES, 3 G DE PROTÉINES, 48 G DE GLUCIDES, 6 G DE MATIÈRES GRASSES, 18 MG DE CHOLESTÉROL, 192 MG DE SODIUM

PAIN AUX PÊCHES

DONNE 18 PORTIONS (6 TRANCHES PAR PAIN)

- ⅓ bâtonnet CRISCO® ou ⅓ tasse de shortening CRISCO et un peu plus pour graisser les moules
- 1½ tasse de farine tout-usage PILLSBURY BEST® et un peu plus pour fariner les moules
- ¾ c. à thé de sel
- ½ c. à thé de bicarbonate de sodium
- ½ c. à thé de cannelle moulue
- ½ c. à thé de muscade moulue
- ½ tasse de sucre
- 1 pot (12 onces) de tartinade aux pêches SMUCKER'S®, divisée
- ½ c. à thé d'essence d'amande
- ½ tasse de babeurre
- 2 œufs

Préchauffer le four à 350°F. Graisser trois mini moules à pain de 3×5¾×2 pouces de shortening **Crisco** ; saupoudrer de farine **Pillsbury BEST** ; mettre de côté.

Combiner 1½ tasse de farine **Pillsbury BEST**, le sel, le bicarbonate de sodium, la cannelle et la muscade dans un bol moyen ; mettre de côté. Mélanger le sucre et ⅓ tasse de shortening **Crisco** dans le bol du batteur. Fixer le bol et le fouet plat au batteur. Régler à la vitesse 6 et battre jusqu'à ce que le mélange soit léger, soit environ 2 minutes. Arrêter le batteur et racler le bol.

Réserver 3 c. à soupe de tartinade **Smucker's** dans un petit bol allant au four à micro-ondes ; mettre de côté. Ajouter le reste de la tartinade **Smucker's**, l'essence d'amande et le babeurre dans le bol du batteur. Régler à la vitesse 2 et mélanger environ 2 minutes. Toujours à la vitesse 2, ajouter les œufs, un à la fois, en mélangeant environ 15 secondes après chaque ajout. Arrêter le batteur et racler le bol. Régler à la vitesse de brassage et ajouter graduellement le mélange de farine en combinant bien les ingrédients, environ 1 minute.

Verser la pâte dans les 3 moules préparés. Faire cuire de 30 à 35 minutes ou jusqu'à ce qu'un cure-dent inséré au centre en sorte propre. Laisser refroidir dans les moules pendant 10 minutes ; renverser sur des grilles.

Faire chauffer la tartinade **Smucker's** réservée dans le four à micro-ondes à puissance ÉLEVÉE pendant 20 secondes ; tartiner sur le dessus des pains refroidis.

PAR PORTION: ENVIRON 146 CALORIES, 2 G DE PROTÉINES, 25 G DE GLUCIDES, 4 G DE MATIÈRES GRASSES, 24 MG DE CHOLESTÉROL, 147 MG DE SODIUM

GÂTEAU ROULÉ À LA CRÈME AUX FRAISES ET AU BEURRE D'ARACHIDE

DONNE: 10 PORTIONS

GÂTEAU

- ¼ tasse de sucre à glacer
  Shortening CRISCO®
- 1 tasse de farine tout-usage
  PILLSBURY BEST®
- 1 c. à thé de levure chimique
- ¼ c. à thé de sel
- 4 œufs
- 1 tasse de sucre granulé
- ¼ tasse d'eau
- 1 c. à thé de vanille

CRÈME AU BEURRE D'ARACHIDE

- 1 paquet (8 onces) de fromage à
  la crème, ramolli
- 1 tasse de sucre à glacer
- ⅓ tasse de beurre d'arachide
  extra croquant JIF®
- ½ c. à thé d'essence d'amande
- 1 tasse de garniture aux fraises à
  faible teneur en sucre
  SMUCKER'S®, divisée
  Sucre à glacer

Préchauffer le four à 375°F. Passer ¼ tasse de sucre à glacer au tamis au-dessus d'une grande et mince serviette de cuisine propre. Graisser un moule à gâteau roulé de 15×10×1 pouces de shortening **Crisco**. Tapisser le moule de papier ciré et graisser le papier ciré de shortening **Crisco**. Tamiser ensemble la farine **Pillsbury BEST**, la levure chimique et le sel ; mettre de côté.

Mettre les œufs dans le bol du batteur. Fixer le bol et le fouet fin au batteur. Régler à la vitesse 8 et battre les œufs jusqu'à ce qu'ils soient légers et de couleur jaune citron. Réduire à la vitesse de brassage. Ajouter graduellement le sucre granulé, l'eau, la vanille et le mélange tamisé de farine ; arrêter le batteur et racler le bol. Régler à la vitesse 6 et battre une minute de plus. Verser la pâte dans le moulé préparé.

Faire cuire au four de 9 à 11 minutes ou jusqu'à ce qu'un cure-dent inséré au centre en sorte propre. Démouler immédiatement du gâteau et le renverser sur la serviette préparée. Retirer délicatement le papier ciré. Rouler le gâteau d'un bout étroit à l'autre. Laisser refroidir sur une grille de 30 à 40 minutes.

Pour faire la **crème au beurre d'arachide**, combiner le fromage à la crème, 1 tasse de sucre à glacer, le beurre d'arachide **Jif** et l'essence d'amande dans le bol du batteur. Fixer le bol et le fouet plat au batteur. Régler à la vitesse de brassage et mélanger jusqu'à ce que le sucre à glacer soit bien incorporé. Régler à la vitesse 4 et battre jusqu'à l'obtention d'un mélange lisse. Dérouler le gâteau ; étaler en une couche égale la crème au beurre d'arachide jusqu'aux rebords du gâteau. Réserver 2 c. à soupe de garniture aux fruits **Smucker's** dans un sac en plastique refermable ; étaler le reste de la garniture aux fruits **Smucker's** sur la crème au beurre d'arachide. Rouler à nouveau le gâteau ; l'envelopper dans une pellicule de plastique et réfrigérer plusieurs heures avant de servir. Au moment de servir, saupoudrer le gâteau de sucre à glacer. Faire chauffer la garniture aux fruits réservée au four à micro-ondes à puissance ÉLEVÉE pendant 10 secondes ; la verser sur le sucre à glacer.

PAR PORTION: ENVIRON 420 CALORIES, 8 G DE PROTÉINES, 67 G DE GLUCIDES, 14 G DE MATIÈRES GRASSES, 110 MG DE CHOLESTÉROL, 237 MG DE SODIUM

GÂTEAU SABLÉ AU FROMAGE À LA CRÈME AUX FRAISES

DONNE: 12 PORTIONS

Aerosol de cuisson

2¼ tasses de farine tout-usage PILLSBURY BEST®

1 tasse de sucre, divisé

¾ tasse (1½ bâtonnet) de beurre ou margarine non salé, coupé en petits cubes et gardés à température ambiante

½ c. à thé de levure chimique

½ c. à thé de bicarbonate de sodium

¼ c. à thé de sel

¾ tasse de crème sûre

2 œufs, divisés

1 c. à thé d'essence d'amande

1 paquet (8 onces) de fromage à la crème, ramolli

½ c. à thé de zeste de citron

½ c. à thé de vanille

1 pot (18 onces) de confiture aux fraises SMUCKER'S®

½ tasse d'amandes tranchées

Préchauffer le four à 350°F. Graisser le fond et la paroi d'un moule à charnière de 10 pouces de aerosol de cuisson ; mettre de côté.

Combiner la farine **Pillsbury BEST**, ¾ tasse de sucre et le beurre dans le bol du batteur. Fixer le bol et le fouet plat au batteur. Régler à la vitesse 2 et mélanger jusqu'à l'obtention de gros morceaux, soit environ 8 minutes. Retirer 1 tasse du mélange granuleux et réserver. Ajouter la levure chimique, le bicarbonate de sodium, le sel, la crème sûre, 1 œuf et l'essence d'amande au reste mélange granuleux. Régler à la vitesse 4 et mélanger 2 minutes. Arrêter le batteur et racler le bol ; mélanger une minute de plus.

Graisser le dos d'une cuillère à soupe de aerosol de cuisson et l'utiliser pour étendre la pâte dans le fond et sur 1 pouce de la paroi du moule préparé. Vaporiser légèrement et uniformément le dessus de la pâte dans le fond du moule de enduit de cuisson.

Combiner le fromage à la crème, le reste du sucre (¼ tasse), l'œuf, le zeste de citron et la vanille dans le bol du batteur. Fixer le bol et le fouet plat au batteur. Régler à la vitesse 4 et battre jusqu'à ce que le mélange soit lisse en arrêtant une fois pour racler le bol. Verser la pâte dans le moule.

À l'aide d'une cuillère, verser la confiture **Smucker's** sur la préparation de fromage à la crème. Combiner le reste du mélange granuleux réservé et les amandes ; parsemer sur la confiture.

Faire cuire de 65 à 75 minutes ou jusqu'à ce que la garniture au fromage à la crème soit prise et que la pâte soit bien dorée. Laisser refroidir 15 minutes. Servir chaud ou froid.

PAR PORTION: ENVIRON 500 CALORIES, 7 G DE PROTÉINES, 64 G DE GLUCIDES, 25 G DE MATIÈRES GRASSES, 94 MG DE CHOLESTÉROL, 197 MG DE SODIUM

PET GÂTEAUX FRUITÉS À LA NOIX DE COCO

THE DAIRY GOODNESS PEOPLE

DONNE: 16 PORTIONS (2 GÂTEAUX DE 8 POUCES)

GÂTEAU

Shortening CRISCO® pour graisser les moules

2 tasses de farine tout-usage PILLSBURY BEST®

1 c. à thé de levure chimique

½ c. à thé de bicarbonate de sodium

¼ c. à thé de sel

1 paquet (8 onces) de fromage à la crème, ramolli

½ tasse (1 bâtonnet) de beurre non salé, ramolli

1¼ tasse de sucre

2 œufs

¼ tasse de lait évaporé PET®

1 c. à thé de vanille

1 pot (12 onces) de tartinade aux pêches, ananas ou abricots SMUCKER'S®

GARNITURE

⅔ tasse de sucre

⅔ tasse de lait évaporé PET

¼ tasse (½ bâtonnet) de beurre ou margarine

1 œuf, légèrement battu

1¼ tasse de flocons de noix de coco sucrée

⅔ tasse de pacanes hachées

1 c. à thé de vanille

Préchauffer le four à 350°F. Graisser deux moules à gâteau de 8 pouces de shortening **Crisco**. Combiner la farine **Pillsbury BEST**, la levure chimique, le bicarbonate de sodium et le sel dans un bol moyen ; mettre de côté.

Mettre le fromage à la crème, le beurre et le sucre dans le bol du batteur. Fixer le bol et le fouet plat au batteur. Régler à la vitesse 4 et battre jusqu'à l'obtention d'un mélange léger et mousseux. Arrêter le batteur et racler le bol. Régler à la vitesse de brassage ; ajouter les œufs un à la fois. Arrêter le batteur et racler le bol. Ajouter ¼ tasse de lait évaporé **Pet** et la vanille. Régler à la vitesse de brassage ; ajouter graduellement les ingrédients secs. Arrêter le batteur et racler le bol. Régler à la vitesse 4 et battre jusqu'à ce que le mélange soit humidifié.

Diviser la moitié de la pâte dans les moules à gâteau préparés et bien étendre jusqu'aux bords. Étaler 6 onces (½ pot) de tartinade **Smucker's** sur la pâte. Diviser le reste de la pâte dans les moules et couvrir de tartinade **Smucker's**. Faire cuire de 35 à 40 minutes ou jusqu'à ce que le dessus soit doré. Laisser refroidir dans les moules sur des grilles.

Entre temps, préparer la **garniture**. Combiner le sucre, ⅔ tasse de lait évaporé Pet, le beurre et l'œuf dans une casserole de 2 litres. Faire cuire sur feu moyen en remuant constamment jusqu'à ce que la préparation ait épaissi et commence à bouillir. Retirer du feu. En remuant, ajouter la noix de coco, les pacanes et la vanille. Étendre sur les gâteaux refroidis en divisant également le mélange. Faire griller à 4 pouces de l'élément chauffant pendant 1 à 2 minutes ou jusqu'à ce que le dessus soit doré.

PAR PORTION: ENVIRON 402 CALORIES, 5 G DE PROTÉINES, 52 G DE GLUCIDES, 20 G DE MATIÈRES GRASSES, 83 MG DE CHOLESTÉROL, 199 MG DE SODIUM

GÂTEAU ROULÉ À LA CITROUILLE AVEC CRÈME DE VANILLE ET GLAÇAGE AU CARAMEL

DONNE: 10 PORTIONS

GÂTEAU

Shortening CRISCO® pour graisser le moule

¼ **tasse de sucre à glacer**

1 **tasse de farine tout-usage PILLSBURY BEST®**

2 **c. à thé d'épices pour tarte à la citrouille**

½ **c. à thé de levure chimique**

½ **c. à thé de bicarbonate de sodium**

4 **œufs**

¾ **tasse de sucre granulé**

1 **tasse de conserve de citrouille sans jus**

GARNITURE

⅔ **tasse de lait évaporé PET®**

3 **tasses de sucre à glacer**

⅔ **bâtonnet CRISCO ou ⅔ tasse de shortening CRISCO**

½ **tasse (1 bâtonnet) de beurre non salé**

3½ **c. à soupe de vanille**

Pincée de sel

1½ **c. à thé d'épices pour tarte à la citrouille (facultatif)**

GLAÇAGE

sirop à sundae au caramel **SMUCKER'S®**

¼ **tasse d'amandes tranchées, rôties***

Préchauffer le four à 375°F. Passer le sucre à glacer au tamis au-dessus d'une grande et mince serviette de cuisine propre. Graisser un moule à gâteau roulé de 15×10×1 pouces de shortening **Crisco** ; tapisser le moule de papier ciré et graisser le papier de shortening **Crisco**. Combiner la farine **Pillsbury BEST**, les épices pour tarte à la citrouille, la levure chimique et le bicarbonate de sodium dans un petit bol.

Mettre les œufs dans le bol du batteur. Fixer le bol et le fouet fin au batteur. Régler à la vitesse 6 et battre les œufs jusqu'à ce qu'ils soient fermes. Ajouter graduellement le sucre et la citrouille. Arrêter le batteur et racler le bol. À la vitesse de brassage, ajouter graduellement le mélange de farine et bien remuer. Régler à la vitesse 6 et battre 1 minute de plus. Verser la pâte dans le moule préparé.

Faire cuire de 9 à 12 minutes ou jusqu'à ce qu'un cure-dent inséré au centre en sorte propre. Démouler immédiatement du gâteau et le renverser sur la serviette préparée. Retirer délicatement le papier ciré. Rouler le gâteau d'un bout étroit à l'autre. Laisser refroidir sur une grille de 30 à 40 minutes.

Entre temps, mettre les ingrédients de la **garniture** dans le bol du batteur. Fixer le bol et le fouet fin au batteur. Régler à la vitesse de brassage et mélanger jusqu'à ce que le sucre à glacer soit bien incorporé. Régler à la vitesse 8 et battre la garniture jusqu'à ce qu'elle soit ferme et mousseuse, soit environ de 10 à 12 minutes. Dérouler le gâteau ; étaler en une couche égale la garniture jusqu'aux rebords du gâteau. Rouler à nouveau le gâteau ; l'envelopper dans une pellicule de plastique et réfrigérer plusieurs heures avant de servir.

Avant de servir, verser le sirop **Smucker's** et parsemer des amandes rôties. Servir en tranches arrosées de sirop **Smucker's** additionnel.

* Pour faire rôtir les amandes, les faire sauter dans une poêle antiadhésive sèche sur feu moyen en remuant constamment jusqu'à ce qu'elles soient dorées.

PAR PORTION: ENVIRON 549 CALORIES, 6 G DE PROTÉINES, 69 G DE GLUCIDES, 28 G DE MATIÈRES GRASSES, 115 MG DE CHOLESTÉROL, 137 MG DE SODIUM

GÂTEAU PAUSE-CAFÉ AU BEURRE D'ARACHIDE

DONNE: DE 16 PORTIONS

2½ tasse de farine tout-usage PILLSBURY BEST®, divisée

¾ tasse de beurre d'arachide crémeux JIF®, divisé

2 c. à thé de levure chimique

½ c. à thé de bicarbonate de sodium

½ c. à thé de sel

1½ tasse de cassonade bien tassée, divisée

¼ bâtonnet CRISCO® ou ¼ tasse de shortening CRISCO

2 c. à soupe de beurre ou margarine, fondu

2 œufs

1 tasse de lait

Préchauffer le four à 375° F. Mélanger 2 tasses de farine **Pillsbury BEST,** la levure chimique, le bicarbonate de sodium et le sel ; mettre de côté. Dans un bol séparé, mélanger ½ tasse de cassonade, ½ tasse de farine **Pillsbury BEST,** ¼ tasse de beurre d'arachide **Jif** et le beurre fondu jusqu'à l'obtention d'un mélange granuleux ; mettre de côté.

Mettre l'autre ½ tasse de beurre d'arachide **Jif** et le shortening **Crisco** dans le bol du batteur. Fixer le bol et le fouet plat au batteur. Régler à la vitesse 4 et battre jusqu'à ce que le mélange soit crémeux, soit environ 1 minute. Toujours à la vitesse 4, ajouter graduellement la tasse de cassonade. Arrêter le batteur et racler le bol.

Régler à la vitesse 2 et ajouter les œufs, un à la fois, en battant pendant environ 15 secondes après chaque ajout.

Régler à la vitesse 6 et battre jusqu'à ce que le mélange soit mousseux, environ 1 minute. Régler à la vitesse 2 et ajouter le mélange de farine et de levure chimique en alternant avec le lait. Battre après chaque ajout.

Verser la pâte dans un moule graissé de 13×9×2 pouces. Saupoudrer du mélange granuleux. Faire cuire de 30 à 35 minutes ou jusqu'à ce qu'un cure-dent inséré au centre en sorte propre. Laisser refroidir dans le moule sur une grille.

PAR PORTION: ENVIRON 216 CALORIES, 6 G DE PROTÉINES, 31 G DE GLUCIDES, 8 G DE MATIÈRES GRASSES, 5 MG DE CHOLESTÉROL, 204 MG DE SODIUM

MINI GATEAUX AU FROMAGE ET CHOCOLAT **JIF**®

DONNE: 12 PORTIONS

1 tasse de biscuits graham enrobés de chocolat finement émiettés

1 paquet (8 onces) de fromage à la crème, ramolli

1 paquet (3 onces) de fromage à la crème, ramolli

½ tasse de sucre

1 c. à thé de vanille

½ tasse de lait

2 œufs

⅓ tasse de beurre d'arachide crémeux **JIF**®

½ tasse de pépites de chocolat mi-sucré, fondu et légèrement refroidi

Préchauffer le four à 325°F. Tapisser 12 moules à muffins réguliers (2½ pouces) de moules en papier. Verser environ 1 c. à soupe de biscuits graham émiettés dans chaque moule et aplatir avec le fond d'un verre ; mettre de côté.

Mettre le fromage à la crème dans le bol du batteur. Fixer le bol et le fouet plat au batteur. Régler à la vitesse 4 et battre jusqu'à l'obtention d'une consistance lisse, environ 2 minutes. Arrêter le batteur et racler le bol. Ajouter le sucre et la vanille. Régler à la vitesse 6 et battre jusqu'à ce que le mélange soit lisse et léger, soit environ 1 minute. Arrêter le batteur et racler le bol. Régler à la vitesse 2 et ajouter graduellement le lait, puis les œufs, un à la fois, en battant 15 secondes après chaque ajout. Arrêter le batteur et racler le bol. Régler à la vitesse 4 et battre 30 secondes. Verser la moitié de la pâte dans un autre bol.

Ajouter le beurre d'arachide **Jif** à la pâte dans le bol du batteur. Régler à la vitesse 4 et bien mélanger, soit environ 1 minute. Verser la pâte au beurre d'arachide également dans les moules à muffins préparés. Remettre la pâte réservée dans le bol du batteur (ne pas laver le bol ni le batteur) et ajouter le chocolat fondu. Régler à la vitesse 4 et battre pour bien mélanger, environ 1 minute. Verser la pâte également dans les moules à muffins à moitié remplis pour couvrir le mélange de beurre d'arachide.

Faire cuire de 20 à 25 minutes ou jusqu'à ce que le centre soit presque pris. Laisser refroidir complètement sur des grilles. Garder couvert au réfrigérateur. Retirer les moules en papier avant de servir.

PAR PORTION: ENVIRON 255 CALORIES, 6 G DE PROTÉINES, 21 G DE GLUCIDES, 18 G DE MATIÈRES GRASSES, 65 MG DE CHOLESTÉROL, 151 MG DE SODIUM

Jif TARTE SUPRÊME AU BEURRE D'ARACHIDE

DONNE: 8 PORTIONS (1 TARTE DE 9 POUCES)

- 1⅓ tasse de farine tout-usage PILLSBURY BEST®
- ½ c. à thé de sel
- ½ bâtonnet CRISCO® ou ½ tasse de shortening CRISCO, coupé en morceaux
- 3 c. à soupe d'eau froide
- ½ tasse plus ⅓ tasse d'arachides hachées
- 1 tasse de beurre d'arachide crémeux JIF®, divisé
- ½ tasse de sucre à glacer
- ½ tasse de crème moitié-moitié
- 1 boîte (14 onces) de lait condensé sucré
- 1 tasse de lait
- 1 paquet (3,4 onces) de pouding instantané à la vanille

  Garniture au chocolat fondant SMUCKER'S® pour micro-ondes, chauffée selon le mode d'emploi de l'emballage.

Mettre la farine **Pillsbury BEST** et le sel dans le bol du batteur. Fixer le bol et le fouet plat au batteur. Régler à la vitesse de brassage et mélanger pendant environ 15 secondes. Ajouter le shortening **Crisco** ; régler à la vitesse de brassage et mélanger jusqu'à ce que les particules de shortening soient de la taille de pois. Toujours à la vitesse de brassage, ajouter l'eau, 1 c. à soupe à la fois, en mélangeant jusqu'à ce que la pâte soit humectée et commence à se tenir. Façonner la pâte en une boule et l'aplatir ; l'envelopper d'une pellicule de plastique. Laisser refroidir 15 minutes. Rouler la pâte à tarte et la glisser dans une assiette à tarte de 9 pouces.

Préchauffer le four à 400°F.

Placer ½ tasse d'arachides hachées, ½ tasse de beurre d'arachide Jif, le sucre à glacer et la crème moitié-moitié dans le bol du batteur. Fixer le bol et le fouet plat au batteur. Régler graduellement à la vitesse 4, en battant pour bien mélanger. Verser dans la pâte à tarte non cuite. Cuire au four de 20 à 25 minutes ou jusqu'à ce que la croûte soit dorée ; laisser refroidir complètement.

Entre temps, mettre l'autre demie tasse de beurre d'arachide **Jif** et le lait condensé sucré dans le bol du batteur. Fixer le bol et le fouet plat au batteur. Régler à la vitesse de brassage et bien mélanger. Arrêter le batteur et racler le bol. Ajouter le lait et le mélange de pouding. Régler graduellement à la vitesse 4 et battre pendant 2 minutes, en arrêtant le batteur pour racler le bol une fois. Verser le mélange sur la couche d'arachides refroidies et étendre jusqu'au bord de la croûte. Réfrigérer plusieurs heures avant de servir.

Au moment de servir, saupoudrer du reste des arachides hachées (⅓ tasse) et verser la garniture chaude **Smucker's**.

PAR PORTION: ENVIRON 789 CALORIES, 20 G DE PROTÉINES, 83 G DE GLUCIDES, 44 G DE MATIÈRES GRASSES, 31 MG DE CHOLESTÉROL, 574 MG DE SODIUM

PÂTE À TARTE KITCHENAID

DONNE: 8 PORTIONS (DEUX CROÛTES DE 8 OU 9 PO)

2¼ **tasses de farine tout-usage**	2 **c. à soupe de beurre ou margarine, bien froid**
¾ **c. à thé de sel**	
½ **tasse de shortening, bien froid**	5 **à 6 c. à soupe d'eau froide**

Mettre la farine et le sel dans le bol du batteur. Fixer le bol et le fouet plat au batteur. Régler à la vitesse d'agitation et mélanger 15 secondes. Couper le shortening et le beurre en morceaux et les ajouter au mélange de farine. Régler à la vitesse d'agitation et mélanger jusqu'à ce que les particules de shortening soient de la taille de petits pois, soit de 30 à 45 secondes. Continuer à la vitesse d'agitation, ajouter l'eau, 1 c. à soupe à la fois, en mélangeant jusqu'à ce que toutes les particules soient humidifiées et que la pâte commence à coller ensemble. Couper la pâte en deux. À la main, façonner chaque moitié en une boule lisse et l'aplatir légèrement. Envelopper d'une pellicule de plastique. Réfrigérer 15 minutes.

Rouler une moitié de pâte à une épaisseur de ⅛ po entre des feuilles de papier ciré. Plier la pâte en quatre. La glisser dans une assiette à tarte de 8 ou 9 po et la déplier, en appuyant fermement contre le fond et les parois.

Pour une tarte à une croûte: Replier le bord. Pincer la pâte si désiré. Ajouter la garniture de tarte choisie. Faire cuire selon les directives.

Pour une tarte à deux croûtes: Couper la pâte au ras du bord de l'assiette à tarte. Rouler la deuxième moitié de la pâte. Ajouter la garniture de tarte choisie. Recouvrir de la deuxième pâte à tarte. Sceller le bord. Pincer la pâte si désiré. Couper des fentes pour que la vapeur puisse s'échapper. Faire cuire selon les directives.

Pour un fond de pâtisserie cuit: Replier le bord. Pincer la pâte si désiré. Piquer les côtés et le fond à la fourchette. Faire cuire au four à 450°F de 8 à 10 minutes ou jusqu'à ce que ce soit doré. Laisser complètement refroidir sur une grille et garnir.

Autre méthode pour un fond de pâtisserie cuit: Replier le bord. Pincer la pâte si désiré. Garnir le fond de pâtisserie de papier d'aluminium. Remplir de poids à tarte ou d'haricots secs. Faire cuire au four à 450°F de 10 à 12 minutes ou jusqu'à ce que tous les bords soient légèrement dorés. Retirer les poids à tarte et le papier d'aluminium. Laisser complètement refroidir sur une grille et garnir.

PAR PORTION (UNE CROÛTE): ENVIRON 134 CALORIES, 2 G DE PROTÉINES, 13 G DE GLUCIDES, 8 G DE MATIÈRES GRASSES, 0 MG DE CHOLESTÉROL, 118 MG DE SODIUM.

PAR PORTION (DEUX CROÛTES): ENVIRON 267 CALORIES, 4 G DE PROTÉINES, 27 G DE GLUCIDES, 16 G DE MATIÈRES GRASSES, 0 MG DE CHOLESTÉROL, 236 MG DE SODIUM.

TARTE AU CHOCOLAT VELOUTÉ

DONNE: 8 PORTIONS

- 1½ tasse de sucre
- 3 c. à soupe de poudre de cacao non sucré
- 3 œufs
- ⅔ tasse de lait évaporé PET®
- ½ tasse (1 bâtonnet) de beurre ou margarine, fondu

- 1 c. à thé de vanille
- 1 pâte à tarte profonde (9 pouces) non cuite (voir la recette de pâte à tarte KitchenAid, page 105)
- Garniture fouettée (facultative)

Préchauffer le four à 350°F. Faire chauffer une plaque à pâtisserie non graissée au four.

Mettre le sucre et la poudre de cacao dans le bol du batteur. Fixer le bol et le fouet fin au batteur. Régler à la vitesse de brassage et bien mélanger pendant environ 15 secondes. Toujours à la vitesse de brassage, ajouter graduellement les œufs, le lait évaporé **Pet**, le beurre fondu et la vanille et bien mélanger pendant environ 1 minute. Arrêter le batteur et racler le bol. Régler à la vitesse 6 et battre jusqu'à l'obtention d'un mélange lisse et plus épais, soit environ 2 minutes.

Verser sur la croûte préparée. Déposer l'assiette à tarte sur la plaque à pâtisserie préchauffée et faire cuire de 55 à 60 minutes ou jusqu'à ce que le centre ait gonflé et que la tarte ait pris. Laisser refroidir complètement sur une grille. Recouvrir de garniture fouettée si désiré.

PAR PORTION: ENVIRON 566 CALORIES, 8 G DE PROTÉINES, 21 G DE GLUCIDES, 30 G DE MATIÈRES GRASSES, 124 MG DE CHOLESTÉROL, 370 MG DE SODIUM

GÂTEAU SANS FARINE AU MOKA ET AUX FRAMBOISES AVEC CRÈME CHANTILLY

DONNE: 8 PORTIONS

Aerosol de cuisson

1 c. à thé de café espresso instantané ou de cristaux de café séchés congelés

1 c. à soupe d'eau

1 paquet (16 onces) de pépites de chocolat mi-sucré

½ tasse (1 bâtonnet) de beurre non salé

¼ tasse de sucre granulé

4 œufs à température ambiante, séparés

1 tasse de crème à fouetter froide

½ c. à thé de vanille

2 c. à soupe de sucre à glacer

½ tasse de confiture aux framboises sans pépins SMUCKER'S®

Préchauffer le four à 350°F. Graisser le fond et la paroi d'un moule à charnière de 8 pouces aerosol de cuisson ; mettre de côté.

En remuant, dissoudre la poudre de café espresso dans l'eau ; mettre de côté.

Faire fondre les pépites de chocolat et le beurre dans une casserole moyenne sur feu moyen. Bien mélanger et retirer du feu. Ajouter le sucre. En battant, incorporer les jaunes d'œufs, un à la fois, avec une cuillère en bois. Ajouter le café espresso et l'eau et bien mélanger.

Mettre les blancs d'œufs gardés à température ambiante dans le bol propre du batteur. Fixer le bol et le fouet fin au batteur. Régler graduellement à la vitesse 8. Fouetter jusqu'à la formation de pics fermes. Arrêter le batteur et retirer le bol. En repliant la préparation à l'aide d'une grande spatule en caoutchouc, ajouter ⅓ du mélange de chocolat à la fois en remuant délicatement jusqu'à ce qu'il n'y ait plus de filets blancs. Verser la pâte dans le moule préparé et lisser le dessus. Faire cuire de 27 à 33 minutes ou jusqu'à ce que les rebords soient gonflés ; laisser refroidir sur une grille pendant 30 minutes. Couvrir et réfrigérer.

Pour préparer la **crème Chantilly**, verser la crème à fouetter froide et la vanille dans le bol refroidi du batteur. Fixer le bol et le fouet fin au batteur. Régler graduellement à la vitesse 8. Ajouter le sucre à glacer et fouetter jusqu'à ce que la crème forme des pics fermes une fois le fouet fin retiré.

Au moment de servir, mettre la confiture **Smucker's** dans un sac en plastique refermable. Faire chauffer au four à micro-ondes à puissance ÉLEVÉE pendant 10 secondes. Pétrir le sac et répéter jusqu'à ce que la confiture soit liquide. Découper un coin du sac en plastique et verser la confiture fondue sur chaque portion. Garnir de **crème Chantilly**.

PAR PORTION: ENVIRON 601 CALORIES, 6 G DE PROTÉINES, 58 G DE GLUCIDES, 43 G DE MATIÈRES GRASSES, 179 MG DE CHOLESTÉROL, 54 MG DE SODIUM

PET™ CHOUX À LA CRÈME FOURRÉS AU CHOCOLAT

THE DAIRY GOODNESS PEOPLE

DONNE: 12 PORTIONS

1 tasse d'eau
½ tasse (1 bâtonnet) de beurre
½ c. à thé de sel
1 tasse de farine tout-usage **PILLSBURY BEST®**
4 œufs
Sucre à glacer (facultatif)

GARNITURE AU CHOCOLAT

¾ tasse de sucre granulé
⅓ tasse d'amidon de maïs
½ c. à thé de sel
1 boîte (12 onces) de lait évaporé **PET®**

1⅓ tasse d'eau
2 onces de chocolat non sucré, haché gros
¾ tasse de pépites de chocolat mi-sucré
1 c. à soupe de vanille

SAUCE CHAUDE AU CHOCOLAT FONDANT

½ tasse de pépites de chocolat mi-sucré
⅓ tasse de lait évaporé **PET®**
2 c. à soupe de sucre granulé

Préchauffer le four à 400°F.

Dans une casserole de 1½ litres, faire bouillir l'eau, le beurre et le sel sur feu élevé. Réduire le feu et ajouter rapidement la farine **Pillsbury BEST** en brassant vigoureusement à l'aide d'une cuillère en bois jusqu'à ce que la préparation ne colle plus aux parois de la casserole et forme une boule.

Mettre la préparation dans le bol du batteur. Fixer le bol et le fouet plat au batteur. Régler à la vitesse 2 et ajouter les œufs un à la fois, en battant 30 secondes après chaque ajout. Arrêter le batteur et racler le bol. Régler à la vitesse 4 et battre 15 secondes.

Sur des tôles à biscuits graissées, déposer ¼ tasse rase de pâte à 2 pouces de distance de manière à former 12 boules. Faire cuire de 30 à 35 minutes ou jusqu'à ce que les choux soient dorés et gonflés. Laisser refroidir légèrement sur des grilles, puis couper en deux à l'horizontale à l'aide d'un couteau dentelé. Gratter légèrement l'intérieur des choux avec une fourchette pour retirer la pâte molle et laisser refroidir complètement sur des grilles.

Entre temps, préparer la **garniture au chocolat**. Combiner le sucre granulé, l'amidon de maïs et le sel dans une grande casserole. En remuant, ajouter graduellement le lait évaporé **Pet** et l'eau. Incorporer le chocolat non sucré. Faire cuire sur feu moyen en raclant fréquemment le fond de la casserole à l'aide d'une spatule plate jusqu'à ce que la préparation soit très épaisse et que le chocolat soit complètement fondu. Laisser mijoter pendant une minute complète en remuant constamment. Retirer du feu et ajouter les pépites de chocolat et la vanille. Remuer jusqu'à ce que les pépites soient complètement fondues. Verser dans un bol moyen et couvrir ; réfrigérer au moins 4 heures ou toute la nuit.

Entre temps, préparer la **sauce chaude au chocolat fondant**. Mettre tous les ingrédients dans une casserole à fond épais et faire chauffer sur feu doux en remuant constamment jusqu'à ce que le chocolat soit fondu.

Pour servir, remplir la moitié inférieure des choux à la crème d'environ ⅓ tasse de **garniture au chocolat**. Replacer le dessus des choux sur la garniture. Saupoudrer légèrement de sucre à glacer (si désiré), puis arroser de **sauce chaude au chocolat fondant**.

PAR PORTION : ENVIRON 363 CALORIES, 7 G DE PROTÉINES, 42 G DE GLUCIDES, 20 G DE MATIÈRES GRASSES, 102 MG DE CHOLESTÉROL, 36 MG DE SODIUM

SECRETS AU BEURRE D'ARACHIDE

FRANÇAIS

1 bâtonnet à saveur de beurre CRISCO® ou 1 tasse de shortening à saveur de beurre CRISCO et un peu plus pour graisser les plaques à pâtisserie

¾ tasse de cassonade, bien tassée

½ tasse de sucre granulé

½ tasse de beurre d'arachide crémeux JIF®

1 œuf

1 c. à thé de vanille

2 tasses de farine tout-usage PILLSBURY BEST®

1 c. à thé de bicarbonate de sodium

½ c. à thé de sel

1 paquet (13 onces) de moules miniatures au beurre d'arachide enrobés de chocolat

GLAÇAGE AU BEURRE D'ARACHIDE

1 c. à thé de shortening à saveur de beurre CRISCO

1 tasse de pépites de chocolat mi-sucré

2 c. à soupe de beurre d'arachide crémeux JIF

Préchauffer le four à 375°F. Graisser la plaque à pâtisserie de shortening **Crisco** ; mettre de côté.

À l'aide du fouet plat, combiner le shortening **Crisco**, la cassonade, le sucre granulé et le beurre d'arachide **Jif** dans le bol du batteur. Régler graduellement à la vitesse 4 ; bien mélanger. Racler le bol puis ajouter l'œuf et la vanille. Battre 1 minute de plus à la vitesse 4. Combiner la farine **Pillsbury BEST**, le bicarbonate de sodium et le sel. Régler le batteur à la vitesse de brassage ; ajouter graduellement les ingrédients secs et bien mélanger.

À l'aide d'une cuillère à thé, enrober complètement chaque moule miniature au beurre d'arachide de pâte. Disposer les friandises sur les plaques à pâtisserie préparées à
2 pouces l'une de l'autre. Faire cuire de 8 à 10 minutes ou jusqu'à ce que les biscuits soient légèrement dorés. Laisser refroidir les biscuits sur une grille.

Pour faire le **glaçage au beurre d'arachide**, combiner le shortening **Crisco,** les pépites de chocolat et le beurre d'arachide **Jif** dans une tasse allant au four à micro-ondes. Faire chauffer au four à micro-ondes à puissance MOYENNE pendant 1 minute ; brasser. Répéter jusqu'à l'obtention d'un mélange lisse (ou faire fondre dans une casserole sur feu moyen en remuant fréquemment). À l'aide d'une cuillère, verser sur les biscuits et étaler pendant que le glaçage soit encore chaud.

PAR PORTION: ENVIRON 211 CALORIES, 3 G DE PROTÉINES, 22 G DE GLUCIDES, 12 G DE MATIÈRES GRASSES, 6 MG DE CHOLESTÉROL, 124 MG DE SODIUM

CARRÉS DE GÂTEAU AU FROMAGE AU CITRON ET AUX FRAMBOISES

DONNE: 32 CARRÉS

CROÛTE

- ¾ **bâtonnet à saveur de beurre CRISCO®** ou ¾ tasse de shortening à saveur de beurre CRISCO et un peu plus pour graisser le molle
- ⅓ tasse de cassonade, bien tassée
- 1¼ tasse de farine tout-usage **PILLSBURY BEST®**
- 1 tasse d'avoine non cuit à cuisson rapide ou à l'ancienne
- ¼ c. à thé de sel

GARNITURE

- 1 pot (12 onces) de confiture aux framboises rouges sans pépins **SMUCKER'S®**
- 2 paquets (8 onces chacun) de fromage à la crème, ramolli
- ¾ tasse de sucre granulé
- 2 c. à soupe de farine tout-usage **PILLSBURY BEST**
- 2 œufs
- 3 c. à soupe de jus de citron
- 2 c. à thé de zeste de citron

Préchauffer le four à 350°F. Graisser un moule de 13×9 pouces avec le shortening Crisco ; mettre de côté.

Pour faire la **croûte**, mettre ¾ tasse de shortening **Crisco** et la cassonade dans le bol du batteur. Fixer le bol et le fouet plat au batteur. Régler à la vitesse 4 et battre jusqu'à ce que le mélange soit crémeux, environ 1 minute. Arrêter le batteur et racler le bol. Régler à la vitesse de brassage et ajouter graduellement 1¼ tasse de farine **Pillsbury BEST,** l'avoine et le sel en brassant pendant 1 minute. Appuyer la préparation dans le fond du moule préparé. Faire cuire pendant 20 minutes ou jusqu'à ce que le dessus soit uniformément doré. Sortir du four et étendre immédiatement la confiture **Smucker's** en une couche égale sur la croûte encore chaude ; mettre de côté.

Pour préparer la **garniture**, mettre le fromage à la crème, le sucre granulé et 2 c. à soupe de farine **Pillsbury BEST** dans le bol du batteur. Fixer le bol et le fouet plat au batteur. Régler à la vitesse 6 et battre jusqu'à ce que le mélange soit lisse, environ 1 minute. Arrêter le batteur et racler le bol. Régler à la vitesse 2 et ajouter les œufs, un à la fois, en battant pendant environ 15 secondes après chaque ajout. Arrêter le batteur et racler le bol. Ajouter le jus de citron et le zeste. Régler à la vitesse 4 et battre pour bien mélanger, environ 1 minute. Verser la préparation sur la couche de confiture **Smucker's.** Faire cuire à 350°F pendant 25 minutes ou jusqu'à ce que les carrés soient pris. Laisser refroidir à la température ambiante dans le moule déposé sur une grille.

PAR PORTION: ENVIRON 165 CALORIES, 2 G DE PROTÉINES, 17 G DE GLUCIDES, 10 G DE MATIÈRES GRASSES, 29 MG DE CHOLESTÉROL, 66 MG DE SODIUM

BISCUITS À LA MARMELADE D'ORANGES

DONNE: 5 DOUZAINES DE BISCUITS

- 2 tasses de sucre granulé
- ½ bâtonnet à saveur de beurre CRISCO® ou ½ tasse de shortening à saveur de beurre CRISCO
- 2 œufs
- 1 tasse de crème sûre
- ½ tasse de marmelade d'oranges sucrée SMUCKER'S®
- 4 tasses de farine tout-usage PILLSBURY BEST®
- 2 c. à thé de levure chimique

- 1 c. à thé de bicarbonate de sodium
- 1 c. à thé de zeste d'orange
- ½ c. à thé de sel

GLAÇAGE
- 3 tasses de sucre à glacer
- ½ tasse (1 bâtonnet) de beurre ou margarine, ramolli
- ¼ tasse de marmelade d'oranges sucrée SMUCKER'S
- Jus d'orange

Préchauffer le four à 400°F.

Combiner le sucre, le shortening **Crisco** et les œufs dans le bol du batteur. Fixer le bol et le fouet plat au batteur. Régler à la vitesse 4 et battre pour bien mélanger. Arrêter le batteur et ajouter la crème sûre et ½ tasse de marmelade **Smucker's** ; régler à la vitesse 4 et bien mélanger. Arrêter le batteur et racler le bol. Combiner la farine **Pillsbury BEST,** la levure chimique, le bicarbonate de sodium, le zeste et le sel dans un bol séparé. Régler le batteur à la vitesse de brassage et incorporer graduellement les ingrédients secs. Arrêter le batteur et racler le bol. Régler à la vitesse 4 et bien mélanger. Laisser refroidir la pâte. À l'aide d'une cuillère à thé, déposer sur des plaques à pâtisserie graissées. Faire cuire de 8 à 10 minutes ; laisser refroidir sur une grille.

Pour préparer le **glaçage**, combiner le sucre à glacer, le beurre et ¼ tasse de marmelade **Smucker's** dans le bol du batteur. Fixer le bol et le fouet plat au batteur. Régler à la vitesse de brassage ; bien mélanger. Arrêter le batteur et racler le bol. Toujours à la vitesse de brassage, ajouter le jus d'orange, 1 c. à thé à la fois, jusqu'à ce que le glaçage se tienne. Régler à la vitesse 4 et battre environ 1 minute ou jusqu'à l'obtention d'une consistance lisse. Tartiner sur les biscuits refroidis.

PAR PORTION: ENVIRON 126 CALORIES, 1 G DE PROTÉINES, 22 G DE GLUCIDES, 4 G DE MATIÈRES GRASSES, 13 MG DE CHOLESTÉROL, 74 MG DE SODIUM

BISCUITS GIVRÉS AUX RAISINS SECS ET AUX FLOCONS D'AVOINE

DONNE: 4 DOUZAINES DE BISCUITS

1 bâtonnet à saveur de beurre CRISCO® ou 1 tasse de shortening à saveur de beurre CRISCO et un peu plus pour graisser les tôles à biscuits

2 tasses de farine tout-usage PILLSBURY BEST®

1 c. à thé de bicarbonate de sodium

½ c. à thé de clou de girofle moulu

¼ c. à thé de sel

¼ c. à thé de cannelle moulue

¼ c. à thé de muscade moulue

1 tasse de cassonade, bien tassée

1 c. à thé de vanille

2 œufs

⅔ tasse de lait évaporé PET®

1 c. à thé de café espresso instantané en poudre ou de cristaux de café instantané

1 tasse de raisins secs

1 tasse de flocons d'avoine à cuisson rapide, non cuits

Glaçage spécial au café (recette qui suit)

Préchauffer le four à 350°F. Graisser les tôles à biscuits de shortening **Crisco**. Combiner la farine **Pillsbury BEST,** le bicarbonate de sodium, le clou de girofle, le sel, la cannelle et la muscade dans un bol moyen ; mettre de côté.

Combiner 1 tasse de shortening **Crisco,** la cassonade et la vanille dans le bol du batteur. Fixer le bol et le fouet plat au batteur. Régler à la vitesse 4 et battre jusqu'à l'obtention d'un mélange léger et mousseux. Arrêter le batteur et racler le bol. Régler à la vitesse de brassage et ajouter les œufs un à la fois. Arrêter le batteur et racler le bol.

Mélanger ensemble le lait évaporé **Pet** et la poudre de café espresso instantané dans un petit bol jusqu'à ce que le café soit complètement dissous.

Régler le batteur à la vitesse de brassage. En alternant, ajouter la préparation de lait évaporé Pet et le mélange de farine au bol du batteur. Arrêter le batteur et racler le bol. Régler à la vitesse 4 et battre pendant 1 minute. Remettre le batteur à la vitesse de brassage ; incorporer les raisins secs et les flocons d'avoine et bien mélanger pendant environ 1 minute.

À l'aide d'une cuillère à thé, déposer la pâte sur les tôles à biscuits préparées. Faire cuire de 9 à 11 minutes ou jusqu'à ce que les biscuits soient légèrement dorés. Laisser refroidir complètement ; étaler le **glaçage spécial au café**.

GLAÇAGE SENSATIONNEL AU CAFÉ

¼ tasse de lait évaporé PÈT®

1 c. à thé de café espresso instantané en poudre ou de cristaux de café instantané

2¼ tasses de sucre à glacer

¼ tasse (½ bâtonnet) de beurre ou margarine, ramolli

1 c. à thé de vanille

¾ c. à thé de cannelle moulue

Mélanger le lait évaporé **Pet** et la poudre de café espresso instantané dans le bol du batteur jusqu'à ce que le café soit complètement dissous. Ajouter le reste des ingrédients. Fixer le bol et le fouet plat au batteur. Régler à la vitesse 4 et battre jusqu'à ce que les ingrédients soient bien mélangés. Arrêter le batteur et racler le bol. Régler à la vitesse 4 et battre 1 minute de plus ou jusqu'à la consistance désirée.

PAR BISCUIT: ENVIRON 129 CALORIES, 1 G DE PROTÉINES, 18 G DE GLUCIDES, 6 G DE MATIÈRES GRASSES, 13 MG DE CHOLESTÉROL, 56 MG DE SODIUM

BISCUITS IRRÉSISTIBLES AU BEURRE D'ARACHIDE

1¾ tasse de farine tout-usage
    PILLSBURY BEST®

¾ c. à thé de sel

¾ c. à thé de bicarbonate de
    sodium

¾ tasse de beurre d'arachide
    crémeux JIF®

½ bâtonnet CRISCO® ou ½ tasse
    de shortening CRISCO

1¼ tasse de cassonade pâle, bien
    tassée

3 c. à soupe de lait

1 c. à soupe de vanille

1 œuf

Préchauffer le four à 375°F. Combiner la farine **Pillsbury BEST,** le sel et le
bicarbonate de sodium dans un petit bol ; mettre de côté.

Mettre le beurre d'arachide **Jif**, le shortening **Crisco,** la cassonade, le lait et
la vanille dans le bol du batteur. Fixer le bol et le fouet plat au batteur. Régler
à la vitesse 2 et bien mélanger, soit environ 1 minute. Arrêter le batteur et racler
le bol. Ajouter l'œuf. Régler à la vitesse 2 et battre pour bien mélanger, environ
30 secondes.

Régler à la vitesse de brassage et ajouter graduellement le mélange de farine.

À l'aide d'une cuillère à thé, déposer la pâte sur des plaques à pâtisserie non
graissées en laissant 2 pouces entre chaque biscuit. Aplatir légèrement avec
le dos d'une fourchette de manière à obtenir un motif entrecroisé. Faire cuire de
7 à 8 minutes ou jusqu'à ce que les biscuits soient pris et dorés.

PAR BISCUIT: ENVIRON 111 CALORIES, 2 G DE PROTÉINES, 13 G DE GLUCIDES,
6 G DE MATIÈRES GRASSES, 6 MG DE CHOLESTÉROL, 105 MG DE SODIUM

TARTALETAS DE HONGO-CEBOLLA

RENDIMIENTO: 24 TARTALETAS

- 4 onzas de queso crema light
- 3 cucharadas de mantequilla o margarina, divididas
- ¾ taza más 1 cucharadita de harina para todo uso
- 8 onzas de hongos frescos, picados en trozos grandes

- ½ taza de cebolla verde picada
- 1 huevo
- ¼ cucharadita de hojas de tomillo secas
- ½ taza de queso suizo rayado

Coloque el queso crema y 2 cucharadas de mantequilla en el tazón para mezclar. Instale el tazón y la batidora plana en la mezcladora. Pase a la Velocidad 4 y mezcle durante aproximadamente 1 minuto: Pare y raspe el tazón. Agregue ¾ taza de harina. Pase a la Velocidad 2 y mezcle durante aproximadamente 1 minuto, o hasta que los ingredientes se mezclen bien. Forme una bola con la mezcla. Envuélvala en papel encerado y refrigérela durante 1 hora. Limpie el tazón para mezclar y la batidora.

Divida la masa refrigerada en 24 porciones. Presione cada porción dentro de un molde de muffin en miniatura (engrasado, si se desea).

Mientras tanto, derrita la cucharada de mantequilla restante en una sartén de 10 pulgadas sobre fuego medio. Agregue los hongos y las cebollas. Cocine y revuelva hasta que se suavice. Quite del calor. Deje que se enfríe un poco.

Coloque el huevo, la cucharada de harina restante, y el tomillo en el tazón para mezclar. Instale el tazón y la batidora plana en la mezcladora. Pase a la Velocidad 6 y mezcle durante aproximadamente 30 segundos. Agregue la mezcla de queso con hongos refrigerados mientras la revuelve. Colocar con una cuchara en los moldecitos de muffin con revestimiento de repostería. Hornee a 375°F de 15 a 20 minutos, o hasta que la mezcla de huevo se infle y se dore. Sirva caliente.

POR PORCIÓN: (2 TARTALETAS) APROXIMADAMENTE 98 CAL, 4 G PRO, 8 G CARB, 6 G GRASA, 33 MG COL, 83 MG SOD

PASTA BÁSICA DE FIDEOS DE HUEVO

RENDIMIENTO: 1¼ LIBRAS DE MASA

4 huevos grandes
(⅞ taza de huevos)
1 cucharada de agua

3½ tazas de harina tamizada
para todo propósito

Coloque los huevos, el agua y la harina en el tazón para mezclar. Coloque el tazón y el batidor plano en la mezcladora. Pase a la Velocidad 2 y mezcle durante 30 segundos.

Quite el batidor plano e instale el gancho para masa. Pase a la Velocidad 2 y amase durante 2 minutos.

Amase la masa a mano por un tiempo de 30 segundos a 1 minuto. Tápela con una toalla seca y deje que repose por 15 minutos antes de extrudirla a través de la Máquina de Pasta, antes de aplanarla en los Rodillos para Pasta, o antes de aplanarla y cortarla a mano.

POR PORCIÓN: APROXIMADAMENTE 94 CAL, 4 G PRO, 17 G CARB, 1 G GRASA, 42 MG COL, 14 MG SOD.

SUGERENCIA: Para cocinar pasta, agregue 1 cucharada de sal y 1 cucharada de aceite a 6 cuartos de agua hirviendo. Gradualmente, agregue pasta y siga cocinando a un punto de ebullición bajo hasta que la pasta quede "al dente" o ligeramente firme al morderla. La pasta flota hacia la superficie del agua a medida que se cocina, de modo que revuélvala de vez en cuando para hacer que se cocine uniformemente. Al terminar de cocinar la pasta, escúrrala en un colador.

Para spaghetti, fideos planos y macarrón, cocine toda la receta tal como se describe arriba.

Para lasaña, cocine la mitad de la receta a la vez.

FOR THE WAY IT'S MADE.™

PAN BLANCO DE MEZCLA RÁPIDA Y LEVANTAMIENTO EN FRÍO

6 a 7 tazas de harina para todo propósito

2 cucharadas de azúcar

3½ cucharitas de sal

3 paquetes de levadura seca activa

¼ taza de mantequilla o margarina, suavizada

2 tazas de agua muy caliente (120°F a 130°F).

Coloque 5½ tazas de harina, azúcar, sal, levadura y mantequilla en el tazón para mezclar. Instale el tazón y el gancho de masa en la mezcladora. Pase a la Velocidad 2 y mezcle durante aproximadamente 20 segundos. Gradualmente, agregue agua caliente y mezcle durante aproximadamente 1½ minutos más.

Continuando en la Velocidad 2, agregue la harina restante, ½ taza a la vez, y mezcle hasta que la masa se adhiera al gancho y limpie los lados del tazón, aproximadamente 2 minutos. Amase en la Velocidad 2 aproximadamente 2 minutos más.

Cubra la masa con una envoltura plástica y una toalla. Deje que repose durante 20 minutos.

Divida la masa a la mitad. Con cada mitad, forme una barra tal como se describe en la página 121. Colóquelas en moldes para barras de pan de 8-½×4½×2½ pulgadas. Cepille cada barra con aceite y cúbrala con una envoltura de plástico, dejando floja la envoltura. Refrigere las barras de 2 a 12 horas.

Cuando esté listo para hornear, retire la envoltura de la masa cuidadosamente. Deje que permanezca a temperatura ambiente durante 10 minutos más. Perfore las burbujas de gas que se hayan formado. Hornee a 400°F de 35 a 40 minutos. Saque inmediatamente los panes de los moldes y deje que se enfríen en anaqueles de alambre.

POR PORCIÓN: APROXIMADAMENTE 110 CAL, 3 G PRO, 21 G CARB, 2 G GRASA, 0 MG COL, 251 MG SOD.

Instrucciones Generales para Preparar y Amasar Masa de Levadura con el Método de Mezclado Rápido

El término "Mezclado Rápido" (Rapid Mix) describe un método para hornear pan que requiere mezclar levadura seca con otros ingredientes secos antes de agregar líquido, en vez del método tradicional de disolver la levadura en un líquido caliente.

1. Coloque la levadura y todos los demás ingredientes secos exceptuando 1 a 2 tazas de harina en un tazón para mezclar.

2. Instale el tazón y el gancho de masa. Pase a la Velocidad 2 y mezcle hasta combinar los ingredientes secos, durante aproximadamente 15 segundos.

3. Continuando en la Velocidad 2, agregue gradualmente* los ingredientes líquidos a la mezcla de harina y mezcle por 1 a 2 minutos adicionales.

4. Continuando en la Velocidad 2, agregue la harina restante ½ taza a la vez, hasta que se forme la masa. Mezcle hasta que la masa se adhiera al gancho y limpie los lados del tazón, aproximadamente 2 minutos.

5. Cuando la masa se adhiera al gancho, amase en la Velocidad 2 hasta que la masa quede suave y elástica, durante 2 minutos.

6. Retire el gancho de masa y el tazón de la mezcladora, y luego retire la masa del gancho y del tazón. Siga las instrucciones en la receta para levantar, formar y hornear.

*__*Nota:__ Si los ingredientes líquidos son agregados muy rápidamente en el Paso 3, estos formarán un charco alrededor del gancho de masa y retardarán el proceso de mezclado.*

SUGERENCIA: El método de Mezcla Rápida podría ser más rápido y fácil para las personas sin mucha experiencia para hacer pan. Dicho método tolera las temperaturas un poco más porque la levadura es mezclada con los ingredientes secos en vez de mezclarla con el líquido caliente.

MASA PARA PIZZA CRUJIENTE

RENDIMIENTO: 4 PORCIONES (¼ PIZZA POR PORCIÓN)

- 1 **paquete de levadura seca activa**
- 1 **taza de agua caliente (105°F a 115°F)**
- ½ **cucharita de sal**

- 2 **cucharitas de aceite de oliva**
- 2½ a 3½ **tazas de harina para todo propósito**
- 1 **cucharada de harina de maíz**

Disuelva la levadura en agua caliente en un tazón para mezclar calentado. Agregue sal, aceite de oliva, y 2½ tazas de harina. Instale el tazón y el gancho de masa en la mezcladora. Pase a la Velocidad 2 y mezcle durante aproximadamente 1 minuto.

Continuando en la Velocidad 2, agregue la harina restante, ½ taza a la vez, y mezcle hasta que la masa se adhiera al gancho y limpie los lados del tazón, aproximadamente 2 minutos. Amase en la Velocidad 2 aproximadamente 2 minutos más.

Coloque la masa en el tazón engrasado, volteando para engrasar la parte superior. Tápela. Deje que se levante en un lugar cálido sin corrientes de aire durante aproximadamente 1 hora, o hasta que se duplique su volumen. Presione la masa con el puño hacia abajo.

Cepille una sartén de 14 pulgadas para pizza con aceite. Rocíe con harina de maíz. Presione la masa a través de la parte inferior del molde, formando un collar alrededor del borde para los productos en la superficie. Agregue productos en la superficie según lo desee. Hornee a 450°F de 15 a 20 minutos.

POR PORCIÓN: APROXIMADAMENTE 373 CAL, 11 G PRO, 74 G CARB, 3 G GRASA, 0 MG COL, 271 MG SOD.

PAN DE TRIGO CON GRANO INTEGRAL

RENDIMIENTO: 32 PORCIONES (16 REBANADAS POR BARRA)

⅓ **taza más 1 cucharada de azúcar morena, dividido**

2 **tazas de agua caliente (105°F a 115°F)**

2 **paquetes de levadura seca activa**

5 **a 6 tazas de harina de trigo integral**

¾ **taza de leche en polvo**

2 **cucharitas de sal**

⅓ **taza de aceite**

Disuelva 1 cucharada de azúcar morena en agua caliente en un tazón pequeño. Agregue la levadura y deje que la mezcla se asiente.

Coloque 4 tazas de harina, leche en polvo, ⅓ taza de azúcar morena, y sal en el tazón para mezclar. Instale el tazón y el gancho de masa en la mezcladora. Pase a la Velocidad 2 y mezcle durante aproximadamente 15 segundos. Continuando en la Velocidad 2, agregue gradualmente la mezcla de levadura y aceite a la mezcla de harina y mezcle durante aproximadamente 1½ minutos más. Pare y raspe el tazón, en caso de ser necesario.

Continuando en la Velocidad 2, agregue la harina restante, ½ taza a la vez, y mezcle hasta que la masa se adhiera al gancho* y limpie los lados del tazón, aproximadamente 2 minutos. Amase en la Velocidad 2 aproximadamente 2 minutos más.

Coloque la masa en el tazón engrasado, volteando para engrasar la parte superior. Tápela. Deje que se levante en un lugar cálido sin corrientes de aire durante aproximadamente 1 hora, o hasta que se duplique su volumen.

Presione la masa con el puño y divídala a la mitad. Tome cada mitad y déle forma de barra, tal como se indica en la página 121. Colóquela en una sartén para pan engrasada de 8½×4½×2½ pulgadas. Tápela. Deje que se levante en un lugar cálido y sin corrientes de aire durante aproximadamente 1 hora, o hasta que se duplique el volumen.

Hornee a 400°F por 15 minutos. Reduzca la temperatura del horno a 350°F y hornee 30 minutos más. Quite inmediatamente el pan de los moldes y deje que se enfríe en anaqueles de alambre.

POR PORCIÓN: APROXIMADAMENTE 112 CAL, 4 G PRO, 19 G CARB, 3 G GRASA, 2 MG COL, 146 MG SOD.

Nota: Es posible que la masa no forme una bola en el gancho. Sin embargo, se podrá amasar siempre y cuando el gancho entre en contacto con la masa. No agregue más de la cantidad máxima de harina especificada o esto resultará en una barra seca.

SUGERENCIAS PARA HACER PAN

Hacer pan con una mezcladora con base es muy diferente de hacer pan a mano.
Por lo tanto, es necesario practicar antes de poder sentirse completamente cómodo
con el nuevo proceso. Para su conveniencia, ofrecemos estas sugerencias para ayu-
darle a acostumbrarse a hacer pan a la manera de KitchenAid.

- Comience con una receta fácil, como por ejemplo Plan Blanco Básico (página
  75), hasta que esté familiarizado con el uso del gancho de masa.

- SIEMPRE use el gancho de masa para mezclar y amasar masas de levadura.

- NUNCA exceda la Velocidad 2 al usar el gancho de masa.

- NUNCA use recetas que requieran más de 8 tazas de harina para todo
  propósito o 6 tazas de harina de trigo integral al hacer masa con una
  mezcladora de 4½ cuartos.

- NUNCA use recetas que requieran más de 10 tazas de harina para todo
  propósito o 6 tazas de harina de trigo integral al hacer masa con una
  mezcladora de 5 cuartos.

- NUNCA use recetas que requieran más de 12 tazas de harina para todo
  propósito u 8 tazas de harina de trigo integral al hacer masa con una
  mezcladora de 6 cuartos.

- Use un termómetro para dulces u otro termómetro de cocina para asegurarse
  de que los líquidos estén a la temperatura especificada en la receta. Los líquidos
  a una temperatura mayor podrían matar la levadura, mientras que los líquidos
  a temperaturas menores retardarán el crecimiento de la levadura.

- Caliente todos los ingredientes hasta alcanzar la temperatura ambiente para
  garantizar el levantamiento apropiado de la masa. Si se debe disolver la
  levadura en el tazón, siempre caliente primero el tazón enjuagándolo con agua
  no muy caliente.

- Deje que el pan se levante en un lugar cálido, 80°F a 85°F, sin corrientes de
  aire, a menos que la receta especifique lo contrario.

- Estos son algunos métodos de levantamiento alternativos que puede usar: (1)
  Coloque el tazón de masa encima de un anaquel de alambre sobre una sartén
  con agua no muy caliente. (2) Coloque el tazón sobre el anaquel superior de un
  horno frío sobre una sartén de agua caliente encima del anaquel inferior. (3)
  Encienda el horno a 400°F por 1 minuto, y luego apáguelo; coloque el tazón en
  el anaquel de en medio del horno y cierre la puerta.

- Cubra siempre el tazón con una toalla para retener el calor y proteger la masa contra las corrientes de aire.

- Los tiempos de levantamiento podrían variar debido a la temperatura y a la humedad de su cocina. El volumen de la masa se ha duplicado cuando las marcas de indentación permanecen después de presionar la masa ligeramente con los dedos.

- La mayoría de las recetas para pan dan un rango para la cantidad de harina que se debe usar. Se ha agregado suficiente harina a la masa cuando la masa se adhiere al gancho y limpia los lados del tazón. Si la masa es pegajosa o la humedad es alta, agregue lentamente más harina, aproximadamente ½ taza a la vez, pero NUNCA exceda la capacidad de harina recomendada. Amase después de cada adición hasta que la harina se haya impregnado completamente en la masa. Si se agrega demasiada harina, esto resultará en una barra de pan seca.

- Es posible que algunos tipos de masa, especialmente aquellos hechos con harinas de grano integral, no formen una bola en el gancho. Sin embargo, se podrá amasar siempre y cuando el gancho entre en contacto con la masa.

- Es posible que de vez en cuando algunas recetas grandes y masas suaves trepen sobre el collar del gancho. Normalmente, esto indica que la masa es pegajosa y que se debe agregar más harina. Mientras más pronto se agregue toda la harina, la probabilidad de que la masa trepe el gancho será menor. Para estas recetas, trate de comenzar con todas las tazas de harina en el proceso de mezclado inicial menos la última taza. Luego agregue la harina restante lo más rápidamente posible.

- Al terminar, los panes con yema tendrán un color café dorado oscuro. Además, la mayoría de las barras de pan se habrán separado de los costados de sus moldes, y la parte superior de estas barras emitirá un sonido hueco al darle golpecillos. Las barras y los bollos de pan recién horneados deben ser colocados en anaqueles inmediatamente después de sacarlos del horno para evitar que se humedezcan.

MANERA DE FORMAR UNA BARRA DE PAN

1. Divida la masa a la mitad. Sobre una superficie con una capa delgada de harina, enrolle cada mitad hasta formar un rectángulo de aproximadamente 9×14 pulgadas. Use un rodillo para hacer que la masa sea uniforme y eliminar las burbujas de gas.

2. Comenzando en el extremo corto, ruede la masa dejándola apretada. Punce la masa para sellar la juntura.

3. Punce los extremos y voltéela. Coloque el lado con la juntura hacia abajo, en un molde para barras de pan. Siga las instrucciones en la receta para levantar y hornear.

DELICIOSOS PANECILLOS CON FRUTAS

RENDIMIENTO: 12 PANECILLOS

- 1 taza de avena tradicional o instantánea sin cocinar
- ½ taza de PILLSBURY BEST® All-Purpose Flour
- ½ taza de Integral PILLSBURY® Whole Wheat Flour
- 1 taza de azúcar morena oscura, empacada firmemente
- 1 cucharada de polvo para hornear
- 2 cucharaditas de canela molida
- ¼ cucharadita de sal
- ⅛ cucharadita de clavo molido

- ¼ taza de CRISCO®* Vegetable Oil
- 1 huevo
- 1⅓ tazas de SMUCKER'S® Low-Sugar o Sugar Free Apricot Preserves, divididas
- ½ taza de trozos de fruta seca mezclada (manzanas, albaricoques, dátiles)
- 1 taza de banana madura molida (aproximadamente dos bananas medianas)

*O use su Aceite Crisco favorito

Precaliente el horno a 400°F. Revista 12 tazas de panecillos medianas con revestimientos de aluminio o papel; colóquelas a un lado.

Combine la avena, la Harina para Todo Propósito **Pillsbury BEST**, la Harina de Trigo Integral **Pillsbury,** el azúcar morena, el polvo para hornear, la canela, la sal, el clavo, y el Aceite **Crisco** en el tazón de mezclado. Coloque el tazón y el batidor plano en la mezcladora. Pase a la Velocidad de Mezclado y mezcle hasta que se formen migajas gruesas. Pare la mezcladora y agregue el huevo, 1 taza de Mermelada **Smucker's**, la fruta seca y las bananas. Pase gradualmente a la Velocidad 2, mezclando sólo hasta que los ingredientes se combinen. Llene las tazas de panecillos hasta dejarlas casi llenas. Hornee de 20 a 25 minutos o hasta que un palillo de dientes insertado en el centro salga limpio al retirarlo; deje que se enfríe.

Caliente el tercio de taza restante de Mermelada **Smucker's** en el microondas en HIGH durante 20 segundos; unte en la parte superior de los panecillos enfriados.

POR PORCIÓN: APROXIMADAMENTE 230 CAL, 3 G PRO, 48 G CARB, 6 G GRASA, 18 MG COL, 192 MG SOD

PAN DE DURAZNO

RENDIMIENTO: 18 PORCIONES (6 REBANADAS POR BARRA)

- ⅓ **Barra de CRISCO® Stick o ⅓ taza de CRISCO Shortening, y una cantidad adicional para engrasar los moldes**
- 1½ **tazas de PILLSBURY BEST® All-Purpose Flour, y una cantidad adicional para espolvorear los moldes**
- ¾ **cucharadita de sal**
- ½ **cucharadita de bicarbonato de sodio**
- ½ **cucharadita de canela molida**
- ½ **cucharadita de nuez moscada rallada**
- ½ **taza de azúcar**
- 1 **jarra (12 onzas) de SMUCKER'S® Peach Preserves, dividida**
- ½ **cucharadita de extracto de almendra**
- ½ **taza de suero de leche**
- 2 **huevos**

Precaliente el horno a 350°F. Aplique una capa de Manteca **Crisco** a tres moldes para panecillos de 5¾×3×2 pulgadas; espolvoree con Harina **Pillsbury BEST**; coloque los moldes a un lado.

Combine 1½ taza de Harina **Pillsbury BEST,** sal, bicarbonato de sodio, canela, y nuez moscada en un tazón mediano; colóquelo a un lado. Combine el azúcar y ⅓ taza de Manteca **Crisco** en el tazón de mezclado. Coloque el tazón y el batidor plano en la mezcladora. Pase a la Velocidad 6 y bata durante aproximadamente 2 minutos hasta que la mezcla quede esponjosa. Pare y raspe el tazón.

Reserve 3 cucharadas de Mermelada **Smucker's** en un tazón apto para microondas; coloque el tazón a un lado. Agregue la Mermelada **Smucker's** restante, el extracto de almendra y el suero de leche al tazón de mezclado. Pase a la Velocidad 2 y mezcle durante aproximadamente 2 minutos. Continúe en la Velocidad 2. Agregue los huevos, uno a la vez, mezclando durante aproximadamente 15 segundos después de agregar cada uno. Pare y raspe el tazón. Pase a la Velocidad de Mezclado y agregue gradualmente la mezcla de harina, mezclando hasta combinar bien los ingredientes, aproximadamente 1 minuto.

Divida la mezcla entre los 3 moldes preparados. Hornee de 30 a 35 minutos, o hasta que palillos de dientes insertados en los centros salgan limpios al retirarlos. Enfríe en los moldes durante 10 minutos; voltee los moldes encima de anaqueles de enfriamiento.

Caliente la Mermelada **Smucker's** reservada en el microondas en HIGH durante 20 segundos; unte en la parte superior de los panes enfriados.

POR PORCIÓN: APROXIMADAMENTE 146 CAL, 2 G PRO, 25 G CARB, 4 G GRASA, 24 MG COL, 147 MG SOD

JiF ROLLO DE FRESAS CON CREMA DE CACAHUATE

RENDIMIENTO: 10 PORCIONES

PASTEL

- ¼ **taza de azúcar en polvo CRISCO® Shortening**
- 1 **taza de PILLSBURY BEST® All-Purpose Flour**
- 1 **cucharadita de polvo para hornear**
- ¼ **cucharadita de sal**
- 4 **huevos**
- 1 **taza de azúcar granulada**
- ¼ **taza de agua**
- 1 **cucharadita de vainilla**

RELLENO DE CREMA DE CACAHUATE

- 1 **paquete (8 onzas) de queso crema, suavizado**
- 1 **taza de azúcar en polvo**
- ⅓ **taza de JIF® Extra Crunchy Peanut Butter**
- ½ **cucharadita de extracto de almendra**
- 1 **taza de SMUCKER'S® Low-Sugar Strawberry Fruit Spread, dividida**
- **Azúcar en polvo**

Precaliente el horno a 375°F. Cierna ¼ de taza de azúcar en polvo sobre un paño de cocina grande, delgado y limpio. Aplique una capa de Manteca **Crisco** a un molde para brazo gitano de 15×10×1 pulgadas. Forre el molde con papel encerado y aplique una capa de Manteca Crisco sobre el papel encerado. Cierna juntos la Harina **Pillsbury BEST**, el polvo para hornear, y la sal; coloque a un lado. Coloque los huevos en el tazón de mezclado. Coloque el tazón y el batidor de alambre en la mezcladora. Pase a la Velocidad 8 y bata los huevos hasta dejarlos con un color amarillo limón claro. Pase a la Velocidad de Mezclado. Gradualmente, agregue azúcar granulada, agua, vainilla, y mezcla de harina cernida; pare y raspe el tazón. Pase a la Velocidad 6 y mezcle durante un minuto más. Vierta la mezcla en el molde preparado.

Hornee de 9 a 11 minutos, o hasta que un palillo de dientes insertado en el centro salga limpio al retirarlo. Afloje inmediatamente los bordes del pastel de los lados del molde y voltéelo sobre la toalla preparada. Quite cuidadosamente el papel encerado. Enrolle el pastel desde un extremo angosto al otro. Enfríelo en un anaquel de alambre de 30 a 40 minutos.

Para hacer el **Relleno de Crema de Cacahuate,** combine el queso crema, 1 taza de azúcar en polvo, **Creme de Cacahuate Jif,** y extracto de almendra en un tazón de mezclado. Coloque el tazón y el batidor plano en la mezcladora. Pase a la Velocidad de Mezclado y mezcle hasta que se incorpore el azúcar en polvo. Pase a la Velocidad 4 y mezcle hasta que quede uniforme. Desenrolle el pastel: unte la **Crema de Cacahuate** uniformemente hasta los bordes del pastel. Reserve 2 cucharadas de Mermelada **Smucker's** en una bolsa plástica resellable para adornar; unte la Mermelada **Smucker's** restante sobre la **Crema de Cacahuate.** Vuelva a enrollar el pastel, envuélvalo en envoltura plástica y refrigérelo varias horas antes de servirlo. Antes de servirlo, salpique el pastel con azúcar en polvo. Caliente la mermelada reservada en un microondas en HIGH durante 10 segundos; rocíela sobre el azúcar en polvo.

POR PORCIÓN: APROXIMADAMENTE 420 CAL, 8 G PRO, 67 G CARB, 14 G GRASA, 110 MG COL, 237 MG SOD

PASTEL DE MIGAJAS DE FRESA QUESO CREMA Y MANTEQUILLA

ESPAÑOL

- 2¼ Spray antiadherente tazas de PILLSBURY BEST® All-Purpose Flour
- 1 taza de azúcar, dividida
- ¾ taza (1½ barras) de mantequilla o margarina sin salar, cortada en cubos pequeños y a temperatura ambiente
- ½ cucharadita de polvo para hornear
- ½ cucharadita de bicarbonato de sodio
- ¼ cucharadita de sal

- ¾ taza de crema agria
- 2 huevos, divididos
- 1 cucharadita de extracto de almendra
- 1 paquete (8 onzas) de queso crema, suavizado
- ½ cucharadita de cáscara de limón rallada
- ½ cucharadita de vainilla
- 1 jarra (18 onzas) SMUCKER'S® Strawberry Jam
- ½ taza de almendras rebanadas

Precaliente el horno a 350°F. Aplique una capa de spray antiadherente para cocinar en la parte inferior y en los lados de un molde con resorte (springform pan) de 10 pulgadas; coloque el molde a un lado.

Combine la Harina **Pillsbury BEST,** ¾ taza de azúcar, y mantequilla en el tazón de mezclado. Coloque el tazón y el batidor plano en la mezcladora. Pase a la Velocidad 2 y mezcle hasta que se formen migajas gruesas, durante aproximadamente 8 minutos. Saque 1 taza de mezcla de migajas del tazón de mezclado y resérvela. A la mezcla de migajas restante, agregue polvo para hornear, bicarbonato de sodio, sal, crema, 1 huevo y extracto de almendra. Pase a la Velocidad 4 y mezcle durante 2 minutos. Pare y raspe el tazón; mezcle un minuto más.

Aplique una capa de Manteca **Crisco** a la parte trasera de una cuchara y úsela para untar la mezcla sobre la parte inferior y 1 pulgada hacia arriba en los lados del molde preparado.

Combine el queso crema, el ¼ de taza de azúcar restante, el huevo restante, la cáscara de limón, y la vainilla en el tazón de mezclado. Coloque el tazón y el batidor plano en la mezcladora. Pase a la Velocidad 4 y bata hasta que la mezcla sea uniforme, parando una vez para raspar el tazón. Unte la mezcla en el molde.

Con una cuchara, añada la Mermelada **Smucker's** sobre la mezcla de queso crema. Combine la mezcla de migajas reservada y las almendras; salpíquela sobre la mermelada.

Hornee de 65 a 75 minutos o hasta que el relleno de queso crema se endurezca y la costra se dore bien. Deje que se enfríe durante 15 minutos. Sírvalo caliente o frío.

POR PORCIÓN: APROXIMADAMENTE 500 CAL, 7 G PRO, 64 G CARB, 25 G GRASA, 94 MG COL, 197 MG SOD

PASTELITOS DE COCO Y FRUTA

PASTEL

CRISCO® Shortening para aplicar capas a los moldes

2 tazas de PILLSBURY BEST® All-Purpose Flour

1 cucharadita de polvo para hornear

½ cucharadita de bicarbonato de sodio

¼ cucharadita de sal

1 paquete (8 onzas) de queso crema, suavizado

½ taza (1 barra) de mantequilla sin salar, suavizada

1¼ tazas de azúcar

2 huevos

¼ taza PET® Evaporated Milk

1 cucharadita de vainilla

1 jarra (12 onzas) SMUCKER'S® Peach, Pineapple, o Apricot Preserves

CUBIERTA

⅔ taza de azúcar

⅔ taza PET® Evaporated Milk

¼ taza (½ barra) de mantequilla o margarina

1 huevo, ligeramente batido

1¼ tazas de coco en hojuelas endulzado

⅔ taza de nueces (pecans) picadas

1 cucharadita de vainilla

Precaliente el horno a 350°F. Aplique una capa de Manteca **Crisco** a dos moldes para pastel de 8 pulgadas. Combine Harina **Pillsbury BEST,** polvo para hornear, bicarbonato de sodio y sal en un tazón mediano; colóquelo a un lado.

Coloque el queso crema, la mantequilla y el azúcar en otro tazón de mezclado. Coloque el tazón y el batidor plano en la mezcladora. Pase a la Velocidad 4 y bata hasta que la mezcla quede ligera y esponjosa. Pare y raspe el tazón. Pase a la Velocidad de Mezclado y agregue los huevos, uno a la vez. Pare y raspe el tazón. Agregue ¼ taza de Leche Evaporada **PET** y vainilla al tazón. Pase a la Velocidad de Mezclado; agregue gradualmente los ingredientes secos al tazón. Pare y raspe el tazón. Pase a la Velocidad 4 y bata sólo hasta que se humedezca.

Divida la mitad de la masa entre los moldes para pastel preparados y úntela hasta los bordes. Unte 6 onzas (½ jarra) de Mermelada **Smucker's** sobre la masa en cada molde. Divida la masa restante entre los moldes, untándola sobre la Mermelada **Smucker's**. Hornee de 35 a 40 minutos, o hasta que se dore. Deje que los pasteles se enfríen completamente en los moldes sobre anaqueles de alambre.

Mientras tanto prepare la **Cubierta**. Combine azúcar, ⅔ taza de Leche Evaporada **PET,** mantequilla y el huevo en una cacerola de 2 cuartos a fuego mediano. Cocine, revolviendo constantemente, hasta que la mezcla se haga espesa y comience a burbujear. Retire la mezcla del fuego. Agregue y revuelva el coco, las nueces y la vainilla. Unte la **Cubierta** sobre los pasteles enfriados, dividiendo la mezcla de manera equitativa. Hornee a 4 pulgadas del calor por 1 ó 2 minutos o hasta que se dore.

POR PORCIÓN: APROXIMADAMENTE 402 CAL, 5 G PRO, 52 G CARB, 20 G GRASA, 83 MG COL, 199 MG SOD

PET® ROLLO DE CALABAZA CON CREMA DE VAINILLA Y GLASEADO DE CARAMELO

RENDIMIENTO: 10 PORCIONES

PASTEL

CRISCO® Shortening para aplicar capas al molde

- ¼ taza de azúcar en polvo
- 1 taza de PILLSBURY BEST® All-Purpose Flour
- 2 cucharaditas de especia para "pies" de calabaza
- ½ cucharadita de polvo para hornear
- ½ cucharadita de bicarbonato de sodio
- 4 huevos
- ¾ taza de azúcar granulada
- 1 taza de calabaza de empacada firmemente

RELLENO

- ⅔ taza de PET® Evaporated Milk
- 3 tazas de azúcar en polvo
- ⅔ barra de CRISCO Stick o ⅔ de taza de CRISCO Shortening
- ½ taza (1 barra) de mantequilla sin salar
- 1 cucharada de vainilla
  Pizca de sal
- 1½ cucharaditas de especia para "pies" de calabaza (opcional)

CUBIERTA

Caramel Sundae Syrup SMUCKER'S®

- ¼ taza de almendras rebanadas, tostadas

Precaliente el horno a 375°F. Cierna el azúcar en polvo sobre un paño de cocina grande, delgado y limpio. Aplique una capa de Manteca **Crisco** a un molde para brazo gitano de 15×10×1 pulgadas; revista el molde con papel encerado y aplique una capa de Manteca **Crisco** al papel. Combine la Harina **Pillsbury BEST,** la especia para pie de calabaza, el polvo para hornear, y el bicarbonato de sodio en un tazón pequeño.

Coloque los huevos en el tazón de mezclado. Coloque el tazón y el batidor de alambre en la mezcladora. Pase a la Velocidad 6, batiendo los huevos hasta que se hagan espesos. Gradualmente agregue azúcar y calabaza. Pare y raspe el tazón. Continuando en la Velocidad de Mezclado, agregue gradualmente la mezcla de harina y mézclela hasta incorporarla. Pase a la Velocidad 6 y bata durante 1 minuto más. Distribuya la masa uniformemente en el molde preparado.

Hornee de 9 a 12 minutos, o hasta que un palillo de dientes insertado en el centro salga limpio al retirarlo. Afloje inmediatamente los bordes del pastel de los lados del molde y voltéelo sobre la manta preparada. Quite cuidadosamente el papel encerado. Enrolle el pastel desde un extremo angosto al otro. Enfríelo en un anaquel de alambre de 30 a 40 minutos.

Mientras tanto, coloque todos los ingredientes del Relleno en el tazón de mezclado. Coloque el tazón y el batidor de alambre en la mezcladora. Pase a la Velocidad de Mezclado y mezcle hasta que se incorpore el azúcar en polvo. Pase a la Velocidad 8 y bata el Relleno hasta que se haga espeso y esponjoso, aproximadamente de 10 a 12 minutos. Desenrolle el pastel; unte el relleno uniformemente hasta los bordes del pastel. Vuelva a enrollar el pastel; envuélvalo en envoltura plástica y refrigérelo varias horas antes de servirlo.

Para servirlo, rocíe el pastel con Jarabe **Smucker's** y salpíquelo con las almendras tostadas. Sirva las rebanadas con Jarabe **Smucker's** adicional.

POR PORCIÓN: APROXIMADAMENTE 549 CAL, 6 G PRO, 69 G CARB, 28 G GRASA, 115 MG COL, 137 MG SOD

Jif TORTA DE CAFÉ CON CREMA DE CACAHUATE

RENDIMIENTO: 16 PORCIONES

1½ taza de azúcar morena, divididas

2½ tazas de PILLSBURY BEST® All-Purpose Flour, divididas

¾ taza de JIF® Creamy Peanut Butter, dividida

2 cucharaditas de polvo para hornear

½ cucharadita de bicarbonato de sodio

½ cucharadita de sal

1½ taza de azúcar morena empacada, dividida

¼ barra de CRISCO® Stick o ¼ de taza de CRISCO Shortening

2 cucharadas de mantequilla o margarina, derretida

2 huevos

1 taza de leche

Precaliente el horno a 375°F. Mezcle ½ taza de azúcar morena, ½ taza de Harina **Pillsbury BEST,** ¼ taza de **Jif**, y la mantequilla derretida en un tazón hasta que la mezcla se pueda desmenuzar fácilmente; colóquela a un lado. Revuelva 2 tazas de Harina **Pillsbury BEST**, polvo para hornear, bicarbonato de sodio, y sal hasta combinar estos ingredientes.

Coloque la ½ taza restante de **Jif** y Manteca **Crisco** en el tazón de mezclado. Coloque el tazón y el batidor plano en la mezcladora. Pase a la Velocidad 4 y bata durante aproximadamente 1 minuto hasta que la mezcla quede cremosa. Continuando en la Velocidad 4, bata gradualmente la taza restante de azúcar morena. Pare y raspe el tazón.

Pase a la Velocidad 2 y agregue los huevos, uno a la vez, mezclando durante aproximadamente 15 segundos después de agregar cada uno.

Pase a la Velocidad 6 y bata durante aproximadamente 1 minuto hasta que la mezcla quede esponjosa. Pase a la Velocidad 2 y agregue la mezcla de harina/polvo para hornear alternando con leche y batiendo bien después de cada adición.

Esparza la masa en un molde para hornear de 13×9×2 pulgadas. Cúbrala con la mezcla que se puede desmenuzar fácilmente. Hornee de 30 a 35 minutos, o hasta que un palillo de dientes insertado en el centro salga limpio al retirarlo. Deje que se enfríe completamente sobre un anaquel de alambre.

POR PORCIÓN: APROXIMADAMENTE 216 CAL, 6 G PRO, 31 G CARB, 8 G GRASA, 5 MG COL, 204 MG SOD

REPOSTERÍA DE PASTEL KITCHENAID

2¼ **tazas de harina para todo propósito**	2 **cucharadas de mantequilla o margarina, bien fría**
¾ **cucharadita de sal**	5 **a 6 cucharadas de agua helada**
½ **taza de manteca, bien fría**	

Coloque la harina y la sal en el tazón para mezclar. Instale el tazón y la batidora plana en la mezcladora. Pase a la Velocidad para Revolver y mezcle durante aproximadamente 15 segundos. Corte la manteca y la mantequilla en trozos y agregue los trozos a la mezcla de harina. Pase a la Velocidad para Revolver y mezcle hasta que las partículas de manteca sean del tamaño de guisantes pequeños, de 30 a 45 segundos.

Continuando con la Velocidad para Revolver, agregue agua, 1 cucharada a la vez, mezclando hasta que los ingredientes se humedezcan y la masa comience a adquirir una textura consistente. Divida la masa a la mitad. Dé palmaditas a cada mitad hasta convertirla en una bola uniforme y aplánela un poco. Envuélvala en envoltura plástica. Enfríela en el refrigerador por 15 minutos.

Ruede una mitad de la masa hasta que haya un espesor de ⅛ pulg entre las hojas de papel encerado. Doble la repostería en cuartos. Colóquela en un plato para pastel de 8 o 9 pulgadas y desdoble, presionando firmemente contra la parte inferior y los lados.

Para Pastel de Una Costra: Doble el borde por debajo. Ondule según lo desee. Agregue el relleno para pastel deseado. Hornee siguiendo las instrucciones.

Para Pastel de Dos Costras: Recorte la repostería hasta emparejarla con el borde del plato para pastel. Usando la segunda mitad de la masa, ruede otra costra para repostería. Agregue el relleno para pastel deseado. Coloque encima la segunda costra para repostería. Selle el borde. Ondule según lo desee. Corte ranuras para que escape el vapor. Hornee siguiendo las instrucciones.

Para Base de Repostería Horneada: Doble el borde por debajo. Ondule según lo desee. Punce los lados y la parte inferior con un tenedor. Hornee a 450°F de 8 a 10 minutos, o hasta que se dore un poco. Deje que se enfríe completamente sobre una rejilla y rellene.

Método Alterno para Base de Repostería Horneada: Doble el borde por debajo. Ondule según lo desee. Cubra la base con papel de aluminio. Rellene con pesas para pastel o frijoles secos. Hornee a 450°F de 10 a 12 minutos, o hasta que los bordes se doren un poco. Retire las pesas para pastel y el aluminio. Deje que se enfríe completamente en una rejilla y rellene.

POR PORCIÓN (UNA COSTRA): APROXIMADAMENTE 134 CAL, 2 G PRO, 13 G CARB, 8 G GRASA, 0 MG COL, 118 MG SOD

POR PORCIÓN (DOS COSTRAS): APROXIMADAMENTE 267 CAL, 4 G PRO, 27 G CARB, 16 G GRASA, 0 MG COL, 236 MG SOD

"PIE" DE SEDA DE CHOCOLATE

RENDIMIENTO: 8 PORCIONES

1½ tazas de azúcar

3 cucharadas de polvo de cacao sin endulzar

3 huevos

⅔ taza de PET® Evaporated Milk

½ taza (1 barra) de mantequilla o margarina, derretida

1 cucharadita de vainilla

1 masa de pie (9 pulgadas) profundo (deep-dish) sin hornear (consulte Repostería de Pastel KitchenAid, página 129)

Cubierta batida (opcional)

Precaliente el horno a 350°F. Coloque la bandeja para hornear sin engrasar en el horno para precalentarla.

Coloque el azúcar y el polvo de cacao en el tazón de mezclado. Coloque el tazón y el batidor de alambre en la mezcladora. Pase a la Velocidad de Mezclado y mezcle para combinar, durante aproximadamente 15 segundos. Continuando en la Velocidad de Mezclado, agregue gradualmente los huevos, Leche Evaporada **PET**, mantequilla derretida, y vainilla y mezcle bien estos ingredientes, durante aproximadamente 1 minuto. Pare y raspe el tazón. Pase a la Velocidad 6 y bata durante aproximadamente 2 minutos hasta que la mezcla quede uniforme y un poco espesa.

Vierta la mezcla en la masa preparada. Coloque el plato para el pie en la bandeja para hornear precalentada y hornee de 55 a 60 minutos o hasta que el centro se infle y el pie se haya endurecido. Deje que se enfríe completamente en el anaquel de alambre. Cubra con la cubierta batido, si así lo desea.

POR PORCIÓN: APROXIMADAMENTE 566 CAL, 8 G PRO, 21 G CARB, 30 G GRASA, 124 MG COL, 370 MG SOD

 PASTELLITOS RELLENOS CON CREMA DE CHOCOLATE

RENDIMIENTO: 12 PORCIONES

1 taza de agua

½ taza (1 barra) de mantequilla

½ cucharadita de sal

1 taza de PILLSBURY BEST® All-Purpose Flour

4 huevos

Azúcar en polvo (opcional)

RELLENO DE CHOCOLATE

¾ taza de azúcar granulada

⅓ taza de maicena

½ cucharadita de sal

1 lata (12 onzas) PET® Evaporated Milk

1⅓ tazas de agua

2 onzas de chocolate sin endulzar, picado en trozos gruesos

¾ taza de chocolate chips semidulces

1 cucharada de vainilla

SALSA DE HOT FUDGE

½ taza de chocolate chips semidulces

⅓ taza de Leche Evaporada PET®

2 cucharadas de azúcar granulada

Precaliente el horno a 400°F.

Caliente el agua, la mantequilla y la sal en una cacerola de 1½ cuartos a fuego alto hasta que hierva por completo. Reduzca el fuego y agregue y revuelva rápidamente Harina **Pillsbury BEST**, revolviendo vigorosamente con una cuchara de madera hasta que la mezcla se separe de los lados de la cacerola y forme una bola.

Coloque la mezcla en el tazón de mezclado. Coloque el tazón y el batidor plano en la mezcladora. Pase a la Velocidad 2 y agregue los huevos, uno a la vez, batiendo durante 30 segundos después de agregar cada uno. Pare y raspe el tazón. Pase a la Velocidad 4 y bata durante 15 segundos.

Vierta escasos cuartos de taza de masa en 12 porciones con una separación de 2 pulgadas sobre las bandejas para galletas engrasadas. Hornee de 30 a 35 minutos, o hasta que la masa se dore y se infle. Deje que se enfríen un poco sobre anaqueles de alambre, y luego corte a la mitad horizontalmente con un cuchillo dentado. Raspe el interior de las reposterías suavemente con un tenedor para eliminar masa suave si la hay, y luego deje que se enfríen por completo sobre los anaqueles de alambre.

Mientras tanto, prepare el **Relleno de Chocolate.** Combine el azúcar granulada, la maicena, y la sal en una cacerola grande. Agregue gradualmente la Leche Evaporada **PET** y el agua, revolviéndolos constantemente. Agregue chocolate sin endulzar. Cocine y revuelva a fuego medio hasta que la mezcla sea muy espesa y el chocolate se haya derretido completamente, raspando frecuentemente el fondo de la cacerola con una espátula plana. Deje que hierva a fuego lento por 1 minuto completo, revolviendo constantemente. Retire la mezcla del fuego y agregue revolviendo los chocolate chips y la vainilla. Revuelva hasta que los chocolate chips se hayan derretido completamente. Vierta en un tazón mediano y cubra la mezcla; refrigérela durante por lo menos 4 horas o durante la noche.

Mientras tanto, prepare la **Salsa de Hot Fudge.** Coloque todos los ingredientes en una cacerola pesada a fuego lento. Cocine, revolviendo constantemente, hasta que el chocolate se derrita completamente.

Para servir, llene las mitades inferiores de los pastelitos de crema con aproximadamente ⅓ taza de **Relleno de Chocolate,** y coloque la parte superior de los pastelitos sobre el relleno. Espolvoree ligeramente con azúcar en polvo (si lo desea), y luego salpique con **Salsa de Hot Fudge.**

POR PORCIÓN: APROXIMADAMENTE 363 CAL, 7 G PRO, 42 G CARB, 20 G GRASA, 102 MG COL, 36 MG SOD

"PIES" DE QUESO EN MINIATURA CON **JIF**® Y CHOCOLATE

- 1 taza de Graham galletas cubiertas de chocolate bien trituradas
- 1 paquete (8 onzas) de queso crema, suavizado
- 1 paquete (3 onzas) de queso crema, suavizado
- ½ taza de azúcar
- 1 cucharadita de vainilla
- ½ taza de leche
- 2 huevos
- ⅓ taza de JIF® Creamy Peanut Butter
- ½ taza de chocolate chips semidulces, derretidos y enfriados

Precaliente el horno a 325°F. Revista 12 tazas de panecillos regulares (2½ pulgadas) con revestimientos de papel. Agregue aproximadamente 1 cucharada de galletas trituradas en cada taza y presione aplanando con la parte inferior de un vaso; coloque estas tazas a un lado.

Coloque el queso crema en el tazón de mezclado. Coloque el tazón y el batidor plano en la mezcladora. Pase a la Velocidad 4 y mezcle durante aproximadamente 2 minutos hasta que la mezcla quede uniforme. Pare y raspe el tazón. Agregue el azúcar y la vainilla. Pase a la Velocidad 6 y mezcle durante aproximadamente 1 minuto hasta que la masa esté uniforme y esponjosa. Pare y raspe el tazón. Pase a la Velocidad 2 y agregue gradualmente la leche y luego los huevos, uno a la vez, mezclando durante 15 segundos después de agregar cada uno. Pare y raspe el tazón. Pase a la Velocidad 4 y bata durante 30 segundos. Coloque la mitad de la masa en un tazón separado.

Agregue Crema de Cacahuate **Jif** a la masa en el tazón de mezclado. Pase a la Velocidad 4 y bata hasta combinar bien los ingredientes (aproximadamente 1 minuto). Divida la masa de crema de cacahuate uniformemente entre las tazas de panecillos preparadas. Devuelva la masa reservada al tazón de mezclado (no limpie el tazón ni el batidor) y agregue chocolate derretido. Pase a la Velocidad 4 y bata hasta combinar bien los ingredientes (aproximadamente 1 minuto). Divida uniformemente entre las tazas de panecillos llenadas a la mitad, untando para cubrir la masa de crema de cacahuate .

Hornee de 20 a 25 minutos o hasta que los centros estén casi rígidos. Deje que se enfríen completamente en anaqueles de alambre. Guárdelos cubiertos en el refrigerador. Quite los revestimientos de papel antes de servir.

POR PORCIÓN: APROXIMADAMENTE 255 CAL, 6 G.PRO, 21 G CARB, 18 G GRASA, 65 MG COL, 151 MG SOD

TORTA DE FRAMBUESA Y MOCA SIN HARINA CON CREMA CHANTILLY

RENDIMIENTO: 8 PORCIONES

- 1 **cucharadita de polvo de café espresso instantáneo o cristales de café congelados en seco**
- 1 **cucharada de agua**
- 1 **paquete (16 onzas) de chocolate chips semidulces**
- ½ **taza (1 barra) de mantequilla sin salar**
- ¼ **taza de azúcar granulada**
- 4 **huevos a temperatura ambiente, separados**
- 1 **taza de crema batida fría**
- ½ **cucharadita de vainilla**
- 2 **cucharadas de azúcar en polvo**
- ½ **taza de SMUCKER'S® Seedless Raspberry Jam**

Precaliente el horno a 350°F. Aplique una capa de spray antiadherente para cocinar en la parte inferior y en los lados de un molde con resorte de 8 pulgadas; coloque el molde a un lado.

Disuelva el polvo de café espresso en agua, mezclando para combinar; colóquelo a un lado.

Derrita los chocolate chips y la mantequilla en una cacerola mediana a fuego mediano. Mezcle hasta combinar bien los ingredientes y luego retírelos del fuego. Agregue azúcar. Agregue las yemas de huevos batiéndolas, una a la vez, con una cuchara de madera. Vierta el espresso con el agua y mezcle bien.

Coloque las claras de los huevos a temperatura ambiente en un tazón de mezclado seco y limpio. Coloque el tazón y el batidor de alambre en la mezcladora. Gradualmente pase a la Velocidad 8 en la mezcladora. Bata hasta que se formen picos duros. Pare la mezcladora y quite el tazón. Incorpore ⅓ de la mezcla de chocolate a la vez con una espátula de hule grande, mezclando suavemente hasta que no haya rayas blancas. Vierta la mezcla en un molde preparado haciendo que la superficie quede uniforme. Hornee de 27 a 33 minutos o hasta que los bordes se hagan esponjosos. Enfríe en un anaquel de alambre durante 30 minutos. Cubra y refrigere.

Para hacer la **Crema Chantilly,** vierta la crema batida fría y la vainilla en el tazón de mezclado enfriado. Coloque el tazón y el batidor de alambre en la mezcladora. Gradualmente pase a la Velocidad 8 en la mezcladora. Agregue azúcar en polvo y bata hasta que la crema tenga picos puntiagudos y duros después de retirar la batidora de alambre.

Inmediatamente antes de servir, coloque la Mermelada **Smucker's** en una bolsa plástica resellable. Caliente en el microondas en HIGH durante 10 segundos, luego amase la bolsa; repita el procedimiento hasta que la mermelada quede uniforme. Recorte una esquina de la bolsa plástica y rocíe la mermelada derretida sobre cada porción; sirva las porciones adornándolas con **Crema Chantilly.**

POR PORCIÓN: APROXIMADAMENTE 601 CAL, 6 G PRO, 58 G CARB, 43 G GRASA, 179 MG COL, 54 MG SOD

Jif "PIE SUPREME" CON CREMA DE CACAHUATE

RENDIMIENTO: 8 PORCIONES (1 "PIE" DE 9 PULGADAS)

- 1⅓ tazas de PILLSBURY BEST® All-Purpose Flour
- ½ cucharadita de sal
- ½ Barra de CRISCO® Stick o ½ de taza de CRISCO Shortening, cortada en trozos
- 3 cucharadas de agua fría
- ½ taza más ⅓ taza de cacahuates picados
- 1 taza de JIF® Creamy Peanut Butter, dividida

- ½ taza de azúcar en polvo
- ½ taza de crema half-and-half
- 1 lata (14 onzas) de leche condensada endulzada
- 1 taza de leche
- 1 paquete (3.4 onzas) de pudín instantáneo de vainilla
  SMUCKER'S® Chocolate Fudge Microwave Topping, calentado según las instrucciones en el paquete

Coloque la Harina **Pillsbury BEST** y la sal en el tazón de mezclado. Coloque el tazón y el batidor plano en la mezcladora. Pase a la Velocidad de Mezclado y mezcle durante aproximadamente 15 segundos. Agregue Manteca **Crisco;** pase a la Velocidad de Mezclado y mezcle hasta que las partículas de manteca sean del tamaño de guisantes. Continúe con la Velocidad de Mezclado. Agregue agua, una cucharada a la vez, mezclando hasta que la masa esté húmeda y comience a adquirir consistencia. Forme una bola con la masa y aplánela; envuélvala en envoltura plástica. Refrigérela durante 15 minutos. Extienda la masa de repostería y colóquela en un plato para "pies" de 9 pulgadas.

Precaliente el horno a 400°F.

Coloque ½ taza de cacahuates picados, ½ taza de Crema de Cacahuate **Jif,** azúcar en polvo y crema half-and-half en el tazón de mezclado. Coloque el tazón y el batidor plano en la mezcladora. Pase gradualmente a la Velocidad 4, batiendo hasta que la mezcla quede bien combinada. Vierta la mezcla en la masa de "pie" sin hornear. Hornee durante 20 a 25 minutos o hasta que la masa se dore; deje que se enfríe por completo.

Mientras tanto, coloque la ½ taza restante de Crema de Cacahuate **Jif** y la leche condensada endulzada en el tazón de mezclado. Coloque el tazón y el batidor plano en la mezcladora. Pase a la Velocidad de Mezclado y mezcle bien. Pare y raspe el tazón. Agregue leche y mezcla de pudín. Gradualmente pase a la Velocidad 4 y bata durante 2 minutos, parando una vez para raspar el tazón. Vierta encima de la capa de cacahuates enfriada y úntela hasta el borde de la masa. Refrigere el "pie" durante varias horas antes de servirlo.

Al servirlo, salpíquelo con el tercio de taza restante de cacahuates picados y rocíe con Topping **Smucker's** caliente.

POR PORCIÓN: APROXIMADAMENTE 789 CAL, 20 G PRO, 83 G CARB, 44 G GRASA, 31 MG COL, 574 MG SOD

PET GALLETAS DE AVENA Y PASAS GLASEADAS

RENDIMIENTO: 4 DOCENAS DE GALLETAS

- 1 Barra de CRISCO® Butter Flavor Stick o 1 de taza CRISCO Butter Flavor Shortening, y más para aplicar capas a las bandejas para galletas
- 2 tazas de PILLSBURY BEST® All-Purpose Flour
- 1 cucharadita de bicarbonato de sodio
- ½ cucharadita de clavo molido
- ¼ cucharadita de sal
- ¼ cucharadita de canela molida
- ¼ cucharadita de nuez moscada rallada

- 1 taza de azúcar morena, empacada firmemente
- 1 cucharadita de vainilla
- 2 huevos
- ⅔ taza de PET® Evaporated Milk
- 1 cucharadita de polvo de café espresso instantáneo o cristales de café instantáneo
- 1 taza de pasas
- 1 taza de avena de cocción rápida, sin cocinar
  Glaseado de Café Especial (receta a continuación)

Precaliente el horno a 350°F. Aplique una capa de Manteca **Crisco** a las bandejas para galletas. Combine Harina **Pillsbury BEST**, bicarbonato de sodio, clavo, sal, canela y nuez moscada en un tazón mediano; colóquelo a un lado.

Combine 1 taza de Manteca **Crisco,** azúcar morena y vainilla en el tazón de mezclado. Coloque el tazón y el batidor plano en la mezcladora. Pase a la Velocidad 4 y bata hasta que la mezcla quede ligera y esponjosa. Pare y raspe el tazón. Pase a la Velocidad de Mezclado y agregue los huevos, uno a la vez. Pare y raspe el tazón.

Mezcle juntos la Leche Evaporada **PET** y el polvo de espresso instantáneo en un tazón pequeño hasta que el café se disuelva por completo.

Coloque la mezcladora en la Velocidad de Mezclado. Alternando, agregue la mezcla de Leche Evaporada **PET** y la mezcla de harina en el tazón de mezclado. Pare y raspe el tazón. Pase a la Velocidad 4 y bata durante 1 minuto. Pase a la Velocidad de Mezclado; agregue las pasas y la avena y mezcle hasta combinar bien los ingredientes, aproximadamente 1 minuto.

Vierta la mezcla por cucharaditas colmadas sobre las bandejas para galletas preparadas. Hornee de 9 a 11 minutos, o hasta que se dore un poco. Deje que las galletas se enfríen por completo; báñelas con el **Glaseado de Café Especial.**

GLASEADO DE CAFÉ ESPECIAL

- ¼ taza de PET® Evaporated Milk
- 1 cucharadita de polvo de café espresso instantáneo o cristales de café instantáneo
- 2¼ tazas de azúcar en polvo

- ¼ taza (½ barra) de mantequilla o margarina, suavizada
- 1 cucharadita de vainilla
- ¾ cucharadita de canela molida

Mezcle juntos la Leche Evaporada **PET** y el polvo de espresso instantáneo en un tazón de mezclado hasta que el café se disuelva por completo. Agregue los ingredientes restantes al tazón de mezclado. Coloque el tazón y el batidor plano en la mezcladora. Pase a la Velocidad 4 y bata hasta combinar los ingredientes. Pare y raspe el tazón. Pase a la Velocidad 4 y bata durante 1 minuto más, o hasta obtener la consistencia deseada.

POR GALLETA: APROXIMADAMENTE 129 CAL, 1 G PRO, 18 G CARB, 6 G GRASA, 13 MG COL, 56 MG SOD

JiF GALLETAS IRRESISTIBLES DE CREMA DE CACAHUATE

RENDIMIENTO: 3 DOCENAS DE GALLETAS

1 ¾ tazas de PILLSBURY BEST® All-Purpose Flour

¾ cucharadita de sal

¾ cucharadita de bicarbonato de sodio

¾ taza de JIF® Creamy Peanut Butter

½ Barra de CRISCO® Stick o ½ de taza de CRISCO Shortening

1 ¼ tazas de azúcar morena clara, empacada firmemente

3 cucharadas de leche

1 cucharada de vainilla

1 huevo

Precaliente el horno a 375°F. Combine la Harina **Pillsbury BEST**, la sal y el bicarbonato de sodio en un tazón pequeño; coloque esta mezcla a un lado.

Coloque la Crema de Cacahuate **Jif**, la Manteca **Crisco,** el azúcar morena, la leche y la vainilla en el tazón de mezclado. Coloque el tazón y el batidor plano en la mezcladora. Pase a la Velocidad 2 y mezcle hasta combinar bien los ingredientes (aproximadamente 1 minuto). Pare y raspe el tazón. Agregue el huevo. Pase a la Velocidad 2 y bata durante aproximadamente 30 segundos sólo hasta mezclar los ingredientes.

Pase a la Velocidad de Mezclado y agregue gradualmente la mezcla de harina, mezclando sólo hasta combinar los ingredientes.

Vierta por cucharaditas con una separación de 2 pulgadas sobre las bandejas para hornear sin engrasar. Aplane un poco con la parte trasera de un tenedor formando un diseño entrecruzado (como una X) con las púas. Hornee de 7 a 8 minutos o hasta que las galletas se hagan sólidas y se doren un poco.

POR GALLETA: APROXIMADAMENTE 111 CAL, 2 G PRO, 13 G CARB, 6 G GRASA, 6 MG COL, 105 MG SOD

SECRETOS DE CREMA DE CACAHUATE

RENDIMIENTO: 3 DOCENAS DE GALLETAS

1 Barra de CRISCO® Butter Flavor Stick o 1 de taza de CRISCO Butter Flavor Shortening, y más para engrasar las bandejas para hornear

¾ taza de azúcar morena, empacada firmemente

½ taza de azúcar granulada

½ taza de JIF® Creamy Peanut Butter

1 huevo

1 cucharadita de vainilla

2 tazas de PILLSBURY BEST® All-Purpose Flour

1 cucharadita de bicarbonato de sodio

½ cucharadita de sal

1 paquete (13 onzas) de tacitas de crema de cacahuate en miniatura cubiertas con chocolate

GLASEADO DE CREMA DE CACAHUATE

1 cucharadita de CRISCO Butter Flavor Shortening

1 taza de chocolate chips semidulces

2 cucharadas de JIF Creamy Peanut Butter

Precaliente el horno a 375°F. Aplique una capa de Manteca **Crisco** a la bandeja para hornear; colóquela a un lado.

Combine la Manteca **Crisco**, el azúcar morena, el azúcar granulado y la Crema de Cacahuate **Jif** en el tazón de mezclado con un batidor plano. Pase gradualmente a la Velocidad 4, mezclando hasta que la mezcla quede bien combinada. Raspe el tazón, y luego agregue el huevo y la vainilla. Bata 1 minuto más en la Velocidad 4. Combine la Harina **Pillsbury BEST**, el bicarbonato de sodio y la sal. Pase a la Velocidad de Mezclado; agregue gradualmente los ingredientes secos y mézclelos sólo hasta que se combinen.

Forme bolitas con cucharaditas de masa alrededor de cada tacita de crema de cacahuate en miniatura, cubriendo el dulce por completo. Colóquelas en las bandejas preparadas para galletas dejando un espacio de 2 pulgadas entre cada galleta. Hornee de 8 a 10 minutos o hasta que las galletas se doren un poco. Retire las galletas y colóquelas sobre un anaquel de enfriamiento.

Para el **Glaseado de Crema de Cacahuate,** combine Manteca **Crisco,** chocolate chips y Crema de Cacahuate **Jif** en una taza apta para microondas. Cocine estos ingredientes en el microondas en MEDIUM durante 1 minuto y luego revuélvalos. Repita el procedimiento hasta que la masa quede uniforme (o derrita los ingredientes en una cacerola pequeña a fuego bajo, revolviendo frecuentemente). Con una cucharadita, rocíe el glaseado sobre las galletas y úntelas mientras esté caliente.

POR GALLETA: APROXIMADAMENTE 211 CAL, 3 G PRO, 22 G CARB, 12 G GRASA, 6 MG COL, 124 MG SOD

CUADRITOS DE PASTEL DE QUESO
DE LIMÓN Y FRAMBUESA

RENDIMIENTO: 32 BARRAS

MASA

¾ **Barra de CRISCO® Butter Flavor Stick o ¾ de taza de Manteca CRISCO Butter Flavor Shortening, y más para aplicar una capa al molde**

⅓ **taza de azúcar morena, empacada firmemente**

1¼ **tazas de PILLSBURY BEST® All-Purpose Flour**

1 **taza de avena tradicional o instantánea sin cocinar**

¼ **cucharadita de sal**

RELLENO

1 **jarra (12 onzas) de SMUCKER'S® Seedless Red Raspberry Jam**

2 **paquetes (de 8 onzas cada uno) de queso crema, suavizado**

¾ **taza de azúcar granulada**

2 **cucharadas de PILLSBURY BEST All-Purpose Flour**

2 **huevos**

3 **cucharadas de jugo de limón**

2 **cucharaditas de cáscara de limón rallada**

Precaliente el horno a 350°F. Aplique una capa de Manteca **Crisco** en un molde para hornear de 13×9×2 pulgadas; coloque el molde a un lado.

Para hacer la **Masa**, coloque ¾ de taza de Manteca **Crisco** y el azúcar morena en el tazón de mezclado. Coloque el tazón y el batidor plano en la mezcladora. Pase a la Velocidad 4 y bata durante aproximadamente 1 minuto hasta que la mezcla quede cremosa. Pare y raspe el tazón. Pase a la Velocidad de Mezclado y agregue gradualmente 1 ¼ tazas de Harina **Pillsbury BEST**, avena y sal, mezclando durante aproximadamente 1 minuto hasta que todo quede bien combinado. Presione hacia el fondo del molde preparado. Hornee durante 20 minutos o hasta que la masa se dore uniformemente. Saque la masa del horno y unte de inmediato Mermelada **Smucker's** uniformemente sobre la masa caliente; colóquela a un lado.

Para hacer el **Relleno**, coloque el queso crema, el azúcar granulada y 2 cucharadas de Harina **Pillsbury BEST** en el tazón de mezclado. Coloque el tazón y el batidor plano en la mezcladora. Pase a la Velocidad 6 y bata durante aproximadamente 1 minuto hasta que la mezcla quede uniforme. Pare y raspe el tazón. Pase a la Velocidad 2. Agregue los huevos, uno a la vez, batiendo durante aproximadamente 15 segundos después de agregar cada uno. Pare y raspe el tazón. Agregue jugo y cáscara de limón. Pase a la Velocidad 4 y bata hasta combinar bien los ingredientes (aproximadamente 1 minuto). Vierta la mezcla sobre la capa de Mermelada **Smucker's**. Hornee a 350°F durante 25 minutos, o hasta que se haga firme. Deje que se enfríe a temperatura ambiente en el molde o en un anaquel de alambre.

POR GALLETA: APROXIMADAMENTE 165 CAL, 2 G PRO, 17 G CARB, 10 G GRASA, 29 MG COL, 66 MG SOD

GALLETAS DE MERMELADA
DE NARANJA

RENDIMIENTO: 5 DOCENAS DE GALLETAS

- 2 tazas de azúcar granulada
- ½ Barra de CRISCO® Butter Flavor Stick o ½ de taza de CRISCO Butter Flavor Shortening
- 2 huevos
- 1 taza de crema agria
- ½ taza de SMUCKER'S® Sweet Orange Marmalade
- 4 tazas de PILLSBURY BEST® All-Purpose Flour
- 2 cucharaditas de polvo para hornear

- 1 cucharadita de bicarbonato de sodio
- 1 cucharadita de cáscara de naranja rallada
- ½ cucharadita de sal

GLASEADO

- 3 tazas de azúcar en polvo
- ½ taza (1 barra) de mantequilla o margarina, suavizada
- ¼ taza de SMUCKER'S Sweet Orange Marmalade
  Jugo de naranja

Precaliente el horno a 400°F.

Combine el azúcar, la Manteca **Crisco** y los huevos en el tazón de mezclado. Coloque el tazón y el batidor plano en la mezcladora. Pase a la Velocidad 4 y mezcle hasta combinar bien los ingredientes. Pare la mezcladora y agregue la crema y ½ taza de Mermelada **Smucker's;** pase a la Velocidad 4 y mezcle hasta combinar bien los ingredientes. Pare y raspe el tazón. Combine la Harina **Pillsbury BEST,** el polvo para hornear, el bicarbonato de sodio, la cáscara y la sal en un tazón separado. Coloque la mezcladora en la Velocidad de Mezclado y agregue gradualmente los ingredientes secos. Pare la mezcladora y raspe el tazón. Pase a la Velocidad 4 y mezcle hasta combinar bien los ingredientes. Refrigere la masa. Colóquela en cucharaditas redondeadas sobre las bandejas para hornear engrasadas. Hornee de 8 a 10 minutos; enfríe en un anaquel.

Para hacer el **Glaseado**, combine el azúcar en polvo, la mantequilla, y de ¼ taza de Mermelada **Smucker's** en el tazón de mezclado. Coloque el tazón y el batidor plano en la mezcladora. Pase a la Velocidad de Mezclado y mezcle hasta combinar los ingredientes. Pare y raspe el tazón. Continuando en la Velocidad de Mezclado, agregue el jugo de naranja, 1 cucharadita a la vez, hasta que el glaseado alcance una consistencia adecuada para untarlo. Pase a la Velocidad 4 y bata durante aproximadamente 1 minuto, o hasta que la mezcla quede uniforme. Úntelo sobre las galletas enfriadas.

POR GALLETA: APROXIMADAMENTE 126 CAL, 1 G PRO, 22 G CARB, 4 G GRASA, 13 MG COL, 74 MG SOD

ICE CREAM MAKER

Model: KICA

The Ice Cream Maker attachment produces a variety of frozen desserts as well as fresh, pure, soft-consistency ice cream. When stored for 2 to 4 hours in an airtight container in the freezer, soft-consistency ice cream will ripen into hard ice cream. Makes up to 2 quarts of frozen desserts in 20 to 30 minutes.

RAVIOLI MAKER

Model: KRAV

Whether you prefer meat, cheese or spinach, our specially designed rollers will pinch and seal in your favorite fillings for perfect homemade pasta every time.

Includes: Wide roller to create 3 rows of ravioli, filling scoop, cleaning brush

PASTA ROLLER AND CUTTER SET

Model: KPRA

Making fresh, restaurant-quality pasta has never been easier. Make perfect, even sheets of pasta in a snap. And unlike with hand-cranked rollers, you have both hands free to guide the dough through the machine. Turn out tons of tortellini or piles of pierogi in minutes, or use the cutter blades to make homemade fettuccini or spaghetti.

Includes: Roller attachment, fettuccini cutter, spaghetti cutter

GRAIN MILL

Model: GMA

Maximize the nutritional content and customize the textures of the grains in your diet by grinding them fresh at home. Mill your own flour or cornmeal and avoid the additives in commercial products. Perfect for preparing ingredients for whole wheat or multi-grain bread. Adjusts from coarse to fine grind.

FRANÇAIS

SORBETIÈRE

Modèle : KICA

La sorbetière sert à la préparation d'une variété de desserts congelés ainsi que de la crème glacée fraîche, pure et de consistance molle. Pour obtenir une crème glacée dure, mettez-la au congélateur dans un contenant hermétique pendant 2 à 4 heures. Donne jusqu'à 2 litres de dessert congelé en 20 à 30 minutes.

MACHINE À RAVIOLIS

Modèle : KRAV

Que vous préfériez les raviolis à la viande, au fromage ou aux épinards, nos rouleaux de conception spéciale pinceront la pâte de manière à sceller la garniture à l'intérieur pour vous donner chaque fois de délicieuses pâtes maison.

Comprend: *large rouleau pour la confection de 3 rangées de raviolis, cuillère à garniture, brosse à nettoyer*

ENSEMBLE DE ROULEAU ET COUTEAU À PÂTES

Modèle : KPRA

La confection de pâtes fraîches dignes d'un restaurant n'aura jamais été aussi facile. Donne des feuilles de pâtes parfaites et égales en un rien de temps. Et contrairement aux rouleaux activés à la main, vous avez les mains libres pour guider la pâte dans la machine. Vous pourrez ainsi faire des tonnes de tortellinis ou des piles de pérogies en quelques minutes ou encore, utiliser les couteaux pour confectionner des fettuccinis ou des spaghettis maison.

Comprend: *rouleau, couteau à fettuccinis, couteau à spaghettis*

MOULIN À GRAINS

Modèle : GMA

Maximisez l'apport nutritif et choisissez la texture des grains de votre régime en les moulant à la maison. Pour éviter les additifs des produits commerciaux, moulez votre propre farine ou semoule de maïs. Parfait pour la préparation des ingrédients du pain de blé entier ou multi-grains. Réglage pour moulage fin ou gros.

MÁQUINA DE HELADOS

Modelo: KICA

El accesorio para la Máquina de Helados produce una variedad de postres congelados así como helados frescos, puros y con consistencia suave. Al almacenarlo de 2 a 4 horas en un envase a prueba de aire en el congelador, el helado con consistencia suave se convertirá en helado con consistencia dura. Hace un máximo de 2 cuartos de galón de postres congelados en un período de 20 a 30 minutos.

MÁQUINA DE RAVIOLI

Modelo: KRAV

Ya sea que usted prefiera carne, queso o espinaca, nuestros rodillos con diseño especial perforarán y sellarán sus rellenos favoritos para preparar pasta perfecta hecha en casa en cualquier momento.

Incluye: *Rodillo ancho para crear 3 filas de ravioli, cuchara para rellenar, cepillo de limpieza*

JUEGO DE RODILLO DE PASTA Y CORTADOR

Modelo: KPRA

Hacer pasta fresca como la que se come en los restaurantes jamás ha sido más fácil. Haga hojas perfectas y uniformes de pasta en poco tiempo. Y, a diferencia de los rodillos de mano, usted tendrá ambas manos libres para guiar la masa a través de la máquina. Haga toneladas de tortellini o pilas de pierogi en cuestión de minutos, o use las cuchillas del cortador para hacer fettuccini o spaghetti en su propia casa.

Incluye: *Accesorio de rodillo, cortador de fettuccini, cortador de spaghetti*

MOLINO DE GRANOS

Modelo: GMA

Maximice el contenido nutricional y personalice las texturas de los granos en su dieta moliéndolos frescos en casa. Muela su propia harina de trigo o de maíz y evite los aditivos usados en los productos comerciales. Perfecto para preparar ingredientes para pan de trigo integral o de granos múltiples. Tiene ajustes para moler que incluyen desde fino a grueso.wheat or multi-grain bread. Adjusts from coarse to fine grind.

METRIC CONVERSION CHART

VOLUME MEASUREMENTS (dry)

1/8 teaspoon = 0.5 mL
1/4 teaspoon = 1 mL
1/2 teaspoon = 2 mL
3/4 teaspoon = 4 mL
1 teaspoon = 5 mL
1 tablespoon = 15 mL
2 tablespoons = 30 mL
1/4 cup = 60 mL
1/3 cup = 75 mL
1/2 cup = 125 mL
2/3 cup = 150 mL
3/4 cup = 175 mL
1 cup = 250 mL
2 cups = 1 pint = 500 mL
3 cups = 750 mL
4 cups = 1 quart = 1 L

VOLUME MEASUREMENTS (fluid)

1 fluid ounce (2 tablespoons) = 30 mL
4 fluid ounces (1/2 cup) = 125 mL
8 fluid ounces (1 cup) = 250 mL
12 fluid ounces (1 1/2 cups) = 375 mL
16 fluid ounces (2 cups) = 500 mL

WEIGHTS (mass)

1/2 ounce = 15 g
1 ounce = 30 g
3 ounces = 90 g
4 ounces = 120 g
8 ounces = 225 g
10 ounces = 285 g
12 ounces = 360 g
16 ounces = 1 pound = 450 g

DIMENSIONS

1/16 inch = 2 mm
1/8 inch = 3 mm
1/4 inch = 6 mm
1/2 inch = 1.5 cm
3/4 inch = 2 cm
1 inch = 2.5 cm

OVEN TEMPERATURES

250°F = 120°C
275°F = 140°C
300°F = 150°C
325°F = 160°C
350°F = 180°C
375°F = 190°C
400°F = 200°C
425°F = 220°C
450°F = 230°C

BAKING PAN SIZES

Utensil	Size in Inches/ Quarts	Metric Volume	Size in Centimeters
Baking or Cake Pan (square or rectangular)	8×8×2	2 L	20×20×5
	9×9×2	2.5 L	23×23×5
	12×8×2	3 L	30×20×5
	13×9×2	3.5 L	33×23×5
Loaf Pan	8×4×3	1.5 L	20×10×7
	9×5×3	2 L	23×13×7
Round Layer Cake Pan	8×1½	1.2 L	20×4
	9×1½	1.5 L	23×4
Pie Plate	8×1¼	750 mL	20×3
	9×1¼	1 L	23×3
Baking Dish or Casserole	1 quart	1 L	—
	1½ quart	1.5 L	—
	2 quart	2 L	—